FRITZ PAUL

August Strindberg

MCMLXXIX

J. B. METZLERSCHE VERLAGSBUCHHANDLUNG

STUTTGART

CIP-Kurztitelaufnahme der Deutschen Bibliothek

Paul, Fritz:
August Strindberg / Fritz Paul. – Stuttgart: Metzler 1979.
  (Sammlung Metzler; M 178: Abt. D: Literaturgeschichte)
  ISBN 3-476-10178-9

ISBN 3 476 10178 9

M 178

© J. B. Metzlersche Verlagsbuchhandlung und Carl Ernst Poeschel Verlag GmbH
in Stuttgart 1979 · Druck: Gulde-Druck, Tübingen
Printed in Germany

INHALT

Nicht so sehr analytische Durchdringung des Stoffes als vielmehr Deskription und Vermittlung sind das Anliegen dieses Bandes: Strindberg und die Strindbergliteratur auch denjenigen zugänglich zu machen, die keine Schwedischkenntnisse besitzen. Um diesen Lesern einen Zugang auch zur Sekundärliteratur zu eröffnen, wurden bei der Auswahl von Zeitschriftenaufsätzen daher die sogenannten Hauptsprachen bevorzugt. Dies bedeutet keine Wertung, zumal gar kein Zweifel darüber bestehen kann, daß die schwedische Strindbergforschung der letzten Jahrzehnte quantitativ und qualitativ dominierend war.

Die Darstellung selbst beruht weitgehend auf den grundlegenden schwedischen Monographien von Ahlström, Berendsohn, Brandell, Edqvist, Eklund, Kärnell, Lamm, Lindström, Ollén, Smedmark, Stockenström, um nur einige zu nennen, ohne daß dies im einzelnen immer vermerkt wäre.

Dies besagt nicht, daß ich eigene Ansichten bis zur Selbstverleugnung zurückgedrängt hätte: Allein schon die bewußte Verbreiterung bei der Darstellung der für die Konstituierung des modernen Dramas wichtigen Werke Strindbergs mag subjektiv erscheinen. Auch dies ist indes keine literarische Wertung, sondern nur eine Zuordnung zu den innovatorischen Prozessen, die die Moderne begründen. Daß dabei der (literarisch sicher gleichrangige) Roman *Das rote Zimmer* einen geringere Stellenwert hat als das alle kanonisierten Formgesetze sprengende Drama *Nach Damaskus*, ist wohl kaum zu bestreiten.

In solchen Wertungen spiegelt sich bereits die Rezeptions- und Wirkungsgeschichte, deren Darstellung aus Platzmangel ebenso unterbleiben mußte, wie eine Würdigung von Strindbergs dezidiertem Verhältnis zur Malerei und Musik. Immerhin sind diese Themenbereiche in der Auswahlbibliographie berücksichtigt. Ebenfalls aus Platzmangel wurden die »autobiographischen« Werke nur bei der Vita Strindbergs behandelt. Ich bin mir voll bewußt, daß eine Einordnung und Darstellung innerhalb der Fiktionsprosa mindestens ebenso gerechtfertigt gewesen wäre.

Strindbergtexte und Zitate aus der schwedischen Sekundärliteratur konnten aus Platzgründen nur in deutscher Übersetzung wiedergegeben werden. Trotz dieser philologisch bedauerlichen Einschränkung kann das Bändchen vielleicht auch Skandinavisten als Nachschlagewerk dienen.

Zu danken habe ich den skandinavischen und deutschen Freunden und Kollegen für zahlreiche Hinweise, Svenska institutet und Strindbergssällskapet für die generöse Möglichkeit, im Forscherzimmer des Strindbergmuseums zu wohnen und den genius loci auf mich einwirken zu lassen, der Königlichen Bibliothek Stockholm für die Erlaubnis, im Strindberg-Raum der Handschriftenabteilung arbeiten zu können und nicht zuletzt der Universitätsbibliothek Bochum für die geduldige Beschaffung von entlegenen Titeln über den Fernleihverkehr. Dadurch erst wurde es mir möglich, eine, sicher subjektive, Auswahl aus der kaum überschaubaren Strindbergliteratur zu treffen und, mit Ausnahme einiger nur unter hohem Kostenaufwand zu beschaffender ungedruckter Dissertationen aus den Vereinigten Staaten, alle bibliographisch erfaßten Arbeiten einzusehen.

Nicht zuletzt möchte ich meinen Mitarbeitern Claudia Harfst und Bernd Kretschmer für das geduldige Abschreiben der Manuskripte und für Mithilfe beim Korrekturenlesen und bei der Erstellung der Register danken.

Bochum, im März 1979.   F. P.

Die stark verkürzten Literaturangaben im Anschluß an die Einzelkapitel lassen sich mit Hilfe der systematisch durchnumerierten Auswahlbibliographie (S. IX ff.) entschlüsseln. Quellenangaben wie I/1 oder VI/6 beziehen sich grundsätzlich auf die Abteilungen bzw. Einzelbände der von Schering übersetzten deutschen Gesamtausgabe (siehe 1.2/1).

A.	=	Ausgabe
A.S.	=	August Strindberg
BLM	=	Bonniers litterära magasin
Brev	=	Brev utg. av Strindbergssällskapet (1.1/12)
Dramer	=	Ausgabe Smedmark (1.1./5)
Dt.	=	deutsch
DVJs	=	Deutsche Vierteljahresschrift
EA	=	Erstaufführung
Fs.	=	Festschrift
GRM	=	Germanisch-Romanische Monatsschrift
Hg.	=	Herausgeber; hg. = herausgegeben
Jb.	=	Jahrbuch
Kbh.	=	København
Kesting-Arpe	=	Über Drama und Theater (1.2/13)
KLL	=	Kindlers Literatur Lexikon. 7 Bde. + Erg.bd. Zürich 1965–74
masch.	=	maschinenschriftliche Dissertation
MD	=	Modern Drama
MfS	=	Meddelanden från Strindbergssällskapet (4.1./3)
NISL	=	Ny illustrerad svensk litteraturhistoria (4.2./17)
Okk. Tb.	=	Okkultes Tagebuch (Ockulta dagboken) (1.2/17; 1.1./18; 1.1./19)
OL	=	Orbis Litterarum
s.	=	siehe
S.	=	Strindberg
schwed.	=	schwedisch
SLT	=	Svensk litteraturtidskrift
S.'s	=	Strindbergs
Ss	=	Samlade skrifter (1.1./1)
SS	=	Scandinavian Studies
Sth.	=	Stockholm
UA	=	Uraufführung
ü.	=	übersetzt, übertragen
Ü.	=	Übersetzung
ZfdPh	=	Zeitschrift für deutsche Philologie
Zs.	=	Zeitschrift

(Sekundärliteratur zu Einzelwerken findet man bei den entsprechenden Kapiteln.)

1.0. Ausgaben

1.1. Ausgaben in der Originalsprache

1. Samlade skrifter. [Hg. v. J. Landquist.] 55 Bde. Sth. 1912–20 (^{2}1921–27). [Umfangreichste Ausg.; krit. nicht voll zuverlässig].
2. Register till A. S.'s Samlade skrifter 1–55 (1912–19). Lund 1964.
3. Samlade otryckta skrifter. [Utg. av V. Carlheim-Gyllensköld]. I. Dramatiska arbeten. Sth. 1918. II. Berättelser och dikter. Sth. 1919.
4. Skrifter. Utg. av G. Brandell. 14 Bde. Sth. 1945–46.
5. A. S.'s dramer. Utg. av K. R. Smedmark. 4 Bde. [mehr nicht erschienen]. Sth. 1962–70. [kritisch; sehr zuverlässig].
6. Före röda rummet. S.'s ungdomsjournalisik. I urval av T. Eklund. Sth. 1946.
7. Vivisektioner. De franska texterna jämte en svensk tolkning av T. Aurell. Inledning och kommentar av T. Eklund. Sth. 1958.
8. Inferno. Introduction de T. Eklund. Notes et variantes de C. G. Bjurström. Paris 1966.
9. Légendes. Introduction de M. Gravier. Texte revu et annoté par C. G. Bjurström et G. Perros. Paris 1967.
10. Klostret. Utg. av C. G. Bjurström. Sth. 1966.
11. Strindbergsfejden.. 465 debattinlägg och kommentarer. Utg. av H. Järv. 2 Bde. Staffanstorp 1968.
12. Brev. Utg. av Strindbergssällskapet [T. Eklund]. Bd. 1–15. Sth. 1948–76 [unabgeschl.].
13. Från Fjärdingen till Blå tornet. Ett brevurval. 1870–1912. Sammanst. av T. Eklund. Sth. 1946.
14. Nietzsche und S. Mit ihrem Briefwechsel. Hg. v. K. Strecker. München 1921.
15. Briefe an seine Tochter Kerstin. Hg. v. T. Eklund. [Dt. Originalsprache]. Hamburg 1963.
16. Breven till Harriet Bosse. [Utg. av T. Eklund.] Sth. 1965.
17. S. och teater. Bref till medlemmar af gamla intima teatern från A. S. Med inledning samt kommentarer af A. Falck. Sth. 1918.
18. Ockulta dagboken. [Faks.]. Sth. 1977.
19. Ur Ockulta dagboken. Äktenskapet med Harriet Bosse. [Utg. av T. Eklund]. Sth. 1963.
20. Le plaidoyer d'un fou. [»Oslomanuskript«]. Ed. L. Dahlbäck/G. Rossholm. I. Text. Sth. 1978.

1.2. Deutsche Ausgaben

1. S.'s Werke [Dt. Gesamtausgabe]. Unter Mitwirkung von E. Schering als Übersetzer vom Dichter selbst veranstaltet. 46 Bde. München 1902–30. [1902–05: S's. Schriften, bis 1903: Leipzig].

I. *Abteilung: Dramen*

Bd. 1 Jugenddramen. (Eine Namenstagsgabe; Der Freidenker; Hermione; In Rom; Der Friedlose; Anno Achtundvierzig) 1923.

Bd. 2 Romantische Dramen. (Das Geheimnis der Gilde; Frau Margit [Ritter Bengts Gattin]; Glückspeter) ³1918.

Bd. 3 Naturalistische Dramen. (Der Vater; Kameraden; Die Hemsöer; Die Schlüssel des Himmelreichs) ⁴1917.

Bd. 4 Elf Einakter. (Fräulein Julie; Gläubiger; Paria; Samum; Die Stärkere; Das Band; Mit dem Feuer spielen; Vorm Tode; Erste Warnung; Debet und Credit; Mutterliebe; Abhandlungen: »Fräulein Julie«, 1888; »Der Einakter«, 1889) 13. bis 17. Tsd. 1920.

Bd. 5 Nach Damaskus. Teil 1–3. 1912 (Teil 1–2: 2. Aufl.; Teil 3: 1. Aufl.).

Bd. 6 Rausch. Totentanz Teil 1 und 2. ⁹1917.

Bd. 7 Jahresfestspiele. (Advent; Ostern; Mittsommer) ⁸1917.

Bd. 8 Märchenspiele. Ein Traumspiel. (Die Kronbraut; Schwanenweiß; Ein Traumspiel [Anm.: Das »Vorspiel« nur in den späteren Auflagen]) ¹⁵1917.

Bd. 9 Kammerspiele. (Wetterleuchten; Gespenstersonate; Die Brandstätte; Der Scheiterhaufen) ⁶1917.

Bd. 10 Spiele in Versen. (Abu Casems Pantoffeln; Fröhliche Weihnacht; Die große Landstraße) 8.–12. Tsd. 1920.

Bd. 11 Meister Olof. (Ausgabe in Prosa und in Versen) 8.–12. Tsd. 1919.

Bd. 12 Königsdramen. (Folkungersage; Gustav Wasa; Erich XIV.; Königin Christine) ⁷1918.

Bd. 13 Deutsche Historien. (Luther [Die Nachtigall von Wittenberg]; Gustav Adolf [Der Dreißigjährige Krieg]) ⁵1917.

Bd. 14 Dramatische Charakteristiken. (Engelbrecht; Karl XII.; Gustav III.) ⁴1917.

Bd. 15 Regentendramen. (Der Jarl; Der letzte Ritter; Der Befreier) 1928.

II. *Abteilung: Romane*

Bd. 1 Das Rote Zimmer. ¹⁶1917.

Bd. 2 Die Inselbauern. ¹⁰1917.

Bd. 3 Am offenen Meer. ⁷1916.

Bd. 4 Die gotischen Zimmer. ¹⁸1918.

Bd. 5 Schwarze Fahnen. ¹²1917.

Diener; Ismael; Eginhard an Emma; Das tausendjährige Reich; Peter, der Eremit; Laokoon; Das Werkzeug; Old merry England; Der Weiße Berg; Der Große; Die sieben guten Jahre. Gerichtstage) 1918 (XXI).

Bd. 9 Schwedische Miniaturen. (Starkodd; Hildur die Opferbraut; Adelsö und Björkö; Wikingerleben; Der Jarl; Karl Ulfsson und seine Mutter; Die Geiseln; Gerichtsreise; Das Trauerspiel von Örbyhus; Apostata; Das Wasaerbe; In Bärwalde; Der König von Öland; Das Elefantengewölbe; Leichenwache; Der Strohmann; Eine königliche Revolution) [8]1917.

IV. *Abteilung: Lebensgeschichte*

Bd. 1 Der Sohn einer Magd. [6]1912.
Bd. 2 Die Entwicklung einer Seele. [5]1913.
Bd. 3 Die Beichte eines Toren. [10]1917.
Bd. 4 Inferno. Legenden. 13.–18. Tsd. 1919.
Bd. 5 Entzweit. Einsam. Mit der nachgelassenen Einleitung (Das Kloster) 31–40. Tsd. 1923.

V. *Abteilung: Gedichte*

Bd. 1 Sieben Cyclen Gedichte. 1923.

VI. *Abteilung: Wisssenschaft*

Bd. 1 Unter französischen Bauern. (Einleitung: Land und Stadt. 1. Abteilung: Bauernleben in einem französischen Dorfe; 2. Abteilung: Autopsien und Interviews) 9.–13. Tsd. 1920.
Bd. 2 Naturtrilogie. (Blumenmalereien und Tierstücke; Schwedische Natur; Sylva Sylvarum) 1921.
Bd. 3 Das Buch der Liebe. Ungedrucktes und Gedrucktes aus dem Blaubuch. 13.–17. Tsd. 1920.
Bd. 4 Dramaturgie. (Die Kunst des Schauspielers; Das Intime Theater; Das historische Drama; Shakespeare; Faust) 5.–9. Tsd. 1920.
Bd. 5 Ein Blaubuch. Die Synthese meines Lebens. Erster Band. 12.–16. Tsd. 1920.
Bd. 6 Ein Blaubuch. Die Synthese meines Lebens. Zweiter Band (Mit dem Buch der Liebe) 6.–9. Tsd. 1919.
Bd. 7 Ein drittes Blaubuch. Nebst dem nachgelassenen Blaubuch. 1921.

VII. *Abteilung: Nachlaß*

Bd. 1 Moses; Sokrates; Christus. Eine welthistorische Trilogie. Mit der Einleitung: »Der bewußte Wille in der Weltgeschichte.« 1922.

Die vorliegende, erstmalig vollständig veröffentlichte Aufstellung der *Deutschen Gesamtausgabe* richtet sich in der Einteilung der Abteilungen und Einzelbände für die Abt. I–VI nach dem Schema im Band *Ein drittes Blaubuch* (VI/7) und für die Abteilung VII–VIII nach dem Schema im Band *Briefe an Emil Schering* (VIII/3) unter Weglassung der projektierten, jedoch nie erschienenen Bände. Da die Ausgabe auch in den großen Bibliographien und Bibliothekskatalogen, ja selbst in den Verlagsverzeichnissen (vgl. Fünfundzwanzig Jahre Georg Müller Verlag, München 1928, S. 198–201), häufig ungenau, unvollständig oder fehlerhaft verzeichnet ist, beruht die vorliegende Aufstellung mit den vollständigen Inhalten der einzelnen Bände auf Autopsie der dem Verfasser vorliegenden Exemplare. Andere als die hier verzeichneten Auflagen und Ausgaben können daher in der Titel- und Inhaltsbeschreibung abweichen.

Diese sog. »Schering-Ausgabe« ist die einzige, nahezu vollständige deutsche Ausgabe. Da sie »vom Dichter selbst veranstaltet« wurde, kann man die bis zu dessen Tod erschienenen Bände als autorisiert betrachten. Bibliographisch ist diese Ausgabe ein kaum durchschaubares Ärgernis: Die Einteilung der Abteilungen, sowie die Bandzählung innerhalb der Abteilungen wurde mehrfach geändert, ebenso die Inhalte und die Paginierung der einzelnen Bände in den verschiedenen Auflagen. Die Abteilungszugehörigkeit und Bandzählung ist an vielen Einzelbänden nicht ersichtlich. Die schwedischen Originaltitel sind im Imprimatur nicht vermerkt und daher bei entlegenen Werken oft schwer zu identifizieren. Schering stellt – eigenmächtig – Einzelwerke und Teile von Werken um, fügt hinzu, läßt aus usw., so daß diese Ausgabe, obwohl für den deutschen Sprachraum unentbehrlich und in der Wirkungsgeschichte Strindbergs nicht wegzudenken, philologisch äußerst bedenklich ist.

2. Bühnenwerke. In neuer Ü. v. H. Goebel. 12 Bde. in 2 Reihen. Berlin 1919.
3. Ausgewählte Dramen. Dt. v. E. v. Hollander. 7 Bde. Berlin 1919.
4. Ausgewählte Romane. Dt. v. E. v. Hollander. 5 Bde. München 1919.
5. Werke. 9 Bde. München 1955–59. (2 Bde. Dramen. 5 Bde. Prosa. 1 Bd. Autobiograph. Schriften. 1 Bd. Briefe. Ü. v. W. Reich, Tabitha von Bonin, Else von Hollander-Lassow.)
6. Dramen. Ü. v. W. Reich. 3 Bde. München 1964–65. (Übernahme von Einzelwerken in Reclams-Universalbibliothek).
7. Der Holländer. Aus d. Nachlaß ü. v. E. Schering. Heidelberg 1949.

8. Ein Traumspiel. Dt. v. P. Weiss. Frankfurt 1963 (= edition suhrkamp 25).
9. Fräulein Julie. Dt. v. P. Weiss. In: Spectaculum X, Frankfurt 1967, 167–197.
10. Kloster. Einsam. Zwei autobiolgraph. Romane. Aus d. Schwed. übertr. u. mit e. Nachwort v. W. A. Berendsohn. München 1969 (= dtv 618). Zuvor: Hamburg 1967.
11. Die Stadtreise und andere Gedichte. Ausgew. u. ü. v. W. A. Berendsohn. Hamburg 1970.
12. Ein Lesebuch für die niederen Stände. [Ordet i min makt, Läsebok för underklassen.] Hg. v. J. Myrdal. Aus d. Schwed. v. P. Baudisch. München 1970.
13. Über Drama und Theater. Hg. v. Marianne Kesting u. V. Arpe. Aus d. Schwed. v. V. Arpe. Köln 1966 (= Collection Theater Werkbücher 6).
14. A. S. – Georg Brandes. [Ein Briefwechsel.] In: Die neue Rundschau 27 (1916), 2, 1491–1509.
15. A. S. Bekenntnisse an eine Schauspielerin. [S.'s brev till Harriet Bosse.] Aus d. Schwed. übertr. v. E. Schering. Berlin 1941.
16. Briefe an S. Hg. v. W. A. Berendsohn. Mainz 1967.
17. Okkultes Tagebuch. Die Ehe mit Harriet Bosse. [Ur Ockulta dagboken.] Hg. v. T. Eklund. Ü. v. Tabitha von Bonin. Hamburg 1964.

2.0. Bibliographien und Nachschlagewerke

1. *Bryer, J. R.:* S. 1951–1962: A bibliography. In: MD 5 (1962/63), 269–75.
2. *Fallenstein, R.* u. *Hennig, C.:* Rezeption skandinavischer Literatur in Deutschland 1870–1914. Quellenbibliographie. Neumünster 1977 (= Skandinavistische Studien 7), 389–426, 454–57.
3. *Gentikow, Barbara:* Skandinavische und deutsche Literatur. Bibliographie der Schriften zu den literarischen, historischen und kulturgeschichtlichen Wechselbeziehungen. Neumünster 1975 (= Skandinavistische Studien 3), 89–95.
4. Index Expressionismus. Bibliographie der Beiträge in den Zeitschriften und Jahrbüchern des literarischen Expressionismus 1910 bis 1925. Hg. v. *P. Raabe.* Bd. 9. Nendeln 1972, 3552–63.
5. *Kärnell, K.-Å.* (Hg.): A. S. [Ausstellungskatalog], Lund 1949, 11–70.
6. *Ders.:* Strindbergslexikon. Sth. 1969.
6a. *Lindström, H.:* S. och böckerna. I. Biblioteken 1883, 1892 och 1912. Uppsala 1977.
7. *Lundblad, B.:* A. S. Ett urval litteratur 1900–1961. Lund 1962 (= Sveriges Allmänna Biblioteksförenings småskrifter 62).
8. *[Rinman, S.]:* S. In: Ny illustrerad svensk litteraturhistoria. [Hg. v. *E. N. Tigerstedt.*] Bd. 4, Sth. 1957, 421–29.

9. Svensk litteraturhistorisk bibliografi 1900–1935. Uppsala 1939 bis 50 [ab 1936 fortl. Jahresbibl. in der Zs. Samlaren].
10. *Zetterlund, R.:* Bibliografiska anteckningar om A. S. Sth. 1913.

3.0. Forschungsberichte

1. *Berendsohn, W. A.:* Zur S.-Forschung. In: ZfdPh 52 (1927), 232 bis 35.
2. *Ders.:* Der Stand der S.-Forschung. In: Forschungen und Fortschritte 24 (1948), 26.
3. *Ders.:* S.'s Briefwechsel im Rahmen der S.-Forschung. In: Edda 49 (1949), 78–89.
4. *Ders.:* Neuerscheinungen über A. S. In: Deutsche Literaturzeitung 70 (1949), Sp. 241–54.
5. *Gravier, M.:* [Berichte über die S.-Forschung.] In: Études Germaniques 19 (1963), 353 ff.; 20 (1965), 441 ff.; 22 (1967), 477 ff.; 24 (1969), 481 ff.; 26 (1971), 573 ff.; 28 (1973), 467 ff.; 30 (1975), 301 ff.; 32 (1977), 365 ff.
6. *Gustafson, A.:* Some early English and American Strindberg criticism. In: Scandinavian studies presented to George T. Flom by colleagues and friends. Urbana/Ill. [USA] 1942 (= Illinois studies in language and literature, vol. 29:1), 106–24.
7. *Ders.:* Recent developments and future prospects in Strindberg studies. In: Modern Philology 46 (1948/49), 49–62.
8. *Ders.:* Six recent doctoral dissertations on S. In: Modern Philology 52 (1954/55), 52–56.
9. *Lindström, G.:* S. studies 1915–1962. In: Scandinavica 2 (1963), 27–50 (schwed. in SLT 1962, Nr. 2).
10. *Rinman, S.:* Tio års Strindbergsforskning. In: MfS 40/41 (1968), 24–29.
11. *Vowles, R. B.:* A Cook's tour of S.'s scholarship. In: MD 5 (1962/63), 256–68.

4.0. Sekundärliteratur

4.1. Sammelbände/Spezialzeitschriften

1. En bok om S. Karlstad 1894 [mit Beitr. v. Drachman, Hamsun, Björnson, Lie, G. Brandes u. a.].
2. *Brandell, G.* (Hg.): Synpunkter på S. Sth. 1964.
3. Meddelanden från Strindbergssällskapet. Nr. 1 ff. Sth. 1945 ff.
4. Modern Drama 5, Nr. 3 (1962/63) [Strindbergheft], 253–380.
5. *Reinert, O.* (Hg.): S. A collection of critical essays. London 1971.
6. S.'s språk och stil. Valda studier. Med inledning av *G. Lindström.* Lund 1964 (= Skrifter utg. av Modersmålslärarnas förening 99).

7. Strindberg Summary. In: Le théâtre dans le monde/World Theatre XI/1 (1962), 1–79. [Strindbergheft.]
8. Strindberg Society (Hg.): Essays on S. Sth. 1966.
9. Strindberg Society (Hg.): Strindberg and modern theatre. Sth. 1975.

4.2. Gesamtdarstellungen

1. *Berendsohn, W. A.:* Strindbergsproblem. Essäer och studier. Sth. 1946.
2. *Ders.:* A. S. Der Mensch und seine Umwelt. Das Werk. Der schöpferische Künstler. Amsterdam 1974 (= Amsterdamer Publikationen zur Sprache u. Literatur 4).
3. *Brandell, G.:* Die skand. Literaturen 1870–1900. In: Neues Handbuch d. Literaturwiss., hg. v. K. von See. Bd. 18: Jahrhundertende-Jahrhundertwende I, bes. 126 ff. u. 138 ff.
4. *Brandes, G.:* A. S. In: GRM 6 (1914), 321–35.
5. *Castrén, G.:* S. In: Illustrerad svensk litteraturhistoria. Av H. Schück och K. Warburg. Bd. 7. ³1932, 96–154.
6. *Diem, E.:* S. Ein Beitrag zur Krisis des modernen Europäers. München 1929. Neuausg. Heidelberg 1949.
7. *Erdmann, N.:* A. S. En kämpande och lidande själs historia. 2 Bde. Sth. 1920.
8. *Ders.:* Die Geschichte einer kämpfenden und leidenden Seele. Ber. Übertr. v. H. Goebel. Leipzig 1924.
9. *Esswein, H.:* A. S. im Lichte seines Lebens und seiner Werke. München u. Leipzig 1909.
10. *Hedén, E.:* S. En ledtråd vid studiet av hans verk. Sth. 1921. Dt.: S. Leben und Dichtung. München 1926.
11. *Janni, Thérèse Dubois:* A. S. En biografi i text och bild [aus dem Italien.]. Sth. 1972.
12. *Johnson, W.:* A. S. Boston 1976.
13. *Lamm, M.:* A. S. 2 Bde. Sth. 1940–42. 2. rev. Aufl. 1948 [engl. Ausg. New York 1971].
14. *Liebert, A.:* A. S. Seine Weltanschauung und seine Kunst. Berlin 1920.
15. *Marcuse, L.:* S. Das Leben der tragischen Seele. Berlin 1922.
16. *Mortensen, Brita M. E.* u. *Downs, B. W.:* S. Introduction to his life and work. Cambridge 1949 (²1965).
17. *Rinman, S.:* S. In: Ny illustrerad svensk litteraturhistoria. Bd. 4. Sth. 1957. 30–143.
18. *Rossel, S. H.:* Skandinav. Literaturen 1870–1970. Stuttgart 1973. 48–60.
19. *Steene, Birgitta:* The greatest fire. A study of A. S. Carbondale [USA] 1973.
20. *Wirtanen, A.:* A. S. in Selbstzeugnissen und Bilddokumenten. Reinbek 1962 (= rowohlts monographien 67).

4.3.1. Memoiren/zeitgenöss. Zeugnisse

1. *Ahlström, S.* u. *Eklund, T.* (Hg.): A. S. (Ögonvittnen). 2 Bde. Sth. 1959–61.
2. *Ahlström, S.* (Hg.): S. im Zeugnis der Zeitgenossen. Ü. v. H. G. Kemlein. Mit einer Einl. v. W. Haas. Bremen 1963 (= Smlg. Dieterich 244).
3. *Engström, A.:* A. S. och jag. Sth. 1923.
4. *Falck, A.:* Fem år med S. Sth. 1935.
5. *Falkner, Fanny:* S. i Blå Tornet. Sth. 1921 (dt.: S. im Blauen Turm. München 1923].
6. *Falkner-Söderberg, Stella:* Fanny Falkner och A.S.Sth. 1970.
7. *Hansson, O.:* Erinnerungen an A. S. In: Die Neue Rundschau 23 (1912), 1536–51. 1724–38.
8. *Lundegård, A.:* Några S.'s minnen knutna till en handfull brev. Sth. 1920.
9. *Mortensen, J.:* S. som jag minnes honom. Sth. 1931.
10. *Paul, A.:* Min Strindbergsbok. Strindbergsminnen och brev. Sth. ²1930. [Dt.: Strindberg-Erinnerungen und -Briefe. München ²1924.]
11. *[Philp, Anna von* u. *Hartzell, Nora]:* S.'s systrar berätta om barndomshemmet och om bror August. Sth. 1926.
12. *Przybyszewski, S.:* Erinnerungen an das literar. Berlin. München 1965.
13. *Schleich, C. L.:* Erinnerungen an S. nebst Nachrufen für Ehrlich und von Bergmann. München u. Leipzig ²1917 (neu hg. v. E. Schering. Heidelberg 1949).
14. *Smirnoff, Karin* [geb. S.]: S.'s första hustru. Sth. 1925.
15. *Dies.:* Så var det i verkligheten. Bakgrunden till S.'s brevväxling med barnen i första giftet. Skilsmässoåren 1891–92. Sth. 1956.
16. *Strindberg, Frida* [geb. Uhl]: Lieb Leid und Zeit. Eine unvergeßliche Ehe. Mit zahlr. unveröffentl. Briefen von A. S. Hamburg u. Leipzig 1936.
17. *Wettenhovi-Aspa, [S.]:* A. S. Intime Aufzeichnungen eines Zeitgenossen. Helsinki 1936.

4.3.2. Abhandlungen/Essays

1. *Ahlström, S.:* S.'s erövring av Paris. S. och Frankrike 1884–1895. Sth. 1956.
2. *Bachler, K.:* A. S. Eine psychoanalytische Studie. In: Die psychoanalytische Bewegung 2 (1930), 365–81 u. 555–79.
3. *Berendsohn, W. A.:* A. S.'s autobiographische Schriften. In: Scandinavica 5 (1966), 41–49.
4. *Ders.:* S.'s sista levnadsår. Tiden i Blå Tornet 10 juli 1908–14 maj 1912. Sth. 1948.

5. *Ders.:* A. S. und die Frauen. Dortmund o. J. (= Dortmunder Vorträge 85).
6. *Børge, V.:* Kvinden i S.'s Liv og Digtning. Kbh. 1936.
7. *Boëthius, U.:* S. och kvinnofrågan, till och med Giftas I. Sth. 1969.
8. *Brandell, G.:* S.'s Infernokris. Sth. 1950 (engl.: S. in Inferno. Cambridge/Mass. 1974).
9. *Ders.:* Der moderne S. In: Merkur 18 (1964), 21–33.
10. *Dopychais, G.:* S.'s perspektivische Bestimmung der Religion als »Versöhnung mit dem Dasein«. Ein Beitr. zum metaphysischen Verständnis des Strindbergschen Welt- und Menschenbildes. Phil. Diss. Münster 1953 (masch.).
11. *Edqvist, S.-G.:* Samhällets fiende. En studie i S.'s anarkism till och med Tjänstekvinnans son. Sth. 1961.
12. *Eklund, T.:* Tjänstekvinnans son. En psykologisk Strindbergsstudie. Sth. 1948.
13. *Esswein, H.:* A. S. Ein psychologischer Versuch. München 1904.
14. *Hagsten, A.:* Den unge S. 2 Bde. Lund 1951.
15. *Hamsun, K.:* Etwas über S. München 1958.
16. *Hedenberg, S.:* S. i skärselden. Göteborg 1961.
17. *Jacobsen, H.:* Digteren og Fantasten. S. paa »Skovlyst«. Kbh. 1945.
18. *Ders.:* S. og hans første hustru. Kbh. 1946.
19. *Ders.:* S. i firsernes København. Kbh. 1948.
20. *Jaspers, K.:* S. und van Gogh. Versuch einer pathographischen Analyse unter vergleichender Heranziehung von Swedenborg und Hölderlin. Berlin ²1926 (= Philosophische Forschungen, 3. H. Hg. v. K. Jaspers).
21. *Lamm, M.:* S. och makterna. Sth. 1936.
22. *Lindström, H.:* Hjärnornas kamp. Psykologiska idéer och motiv i S.'s åttiotalsdiktning. Uppsala 1952.
23. *Norman, N.:* Den unge S. och väckelserörelsen. Lund 1953.
24. *Poulenard, É.:* Les influences françaises dans l'autobiographie d'A. S. In: Scandinavica 1 (1962), 29–50.
25. *Rahmer, S.:* A. S., eine pathologische Studie. München 1907 (= Grenzfragen der Literatur und Medizin, H. 6).
26. *Rinman, S.:* En dåres försvarstal. In: SLT 28 (1965), 63–75.
27. *Storch, A.:* A. S. im Lichte seiner Selbstbiographie. Eine psychopathologische Persönlichkeitsanalyse. München 1921 (= Grenzfragen des Nerven- und Seelenlebens 111).
28. *Uppvall, A. J.:* A. S.: A psychoanalytic study with special reference to the Oedipus complex. New York 1970 [Repr. v. 1920].
29. *Wiese, L. von:* S. Ein Beitrag zur Soziologie der Geschlechter. München u. Leipzig 1918 [²1920].

30. *Willers, U.:* Från slottsflygeln till humlegården. A. S. som biblio-teksman. Sth. 1962.

4.4. *Außerschwedische Einflüsse auf Strindberg*

1. *Becker, H.:* Die Einwirkung Ibsens auf S. und die schwedische Literatur seiner Zeit. Phil. Diss. Köln 1950 (masch.).
2. *Berendsohn, W. A.:* Goethe och S. In: Samlaren 30 (1949), 118 bis 28.
3. *Børge, V.:* S. und Shakespeare. In: Shakespeare-Jb. 73 (1937), 142–49.
4. *Borland, H. H.:* Nietzsches influence on Swedish literature. With special reference to S., Ola Hansson, Heidenstam and Fröding. Göteborg 1956.
5. *Brandl, H.:* Persönlichkeitsidealismus und Willenskult. Aspekte der Nietzsche-Rezeption in Schweden. Heidelberg 1977.
6. *Helmecke, C. A.:* Buckle's influence on S. Ph. D. diss. Philadel-phia 1924.
7. *Jolivet, A.:* S. et Nietzsche. In: Rev. de litt. comp. 19 (1939), 390–406.
8. *Ders.:* S. et Jeremias Gotthelf. In: Études Germaniques 3 (1948), 305–08.
9. *Marcus, C. D.:* Nietzsche, Brandes und S. In: Deutsch-nord. Jb. 1928, 14–26.
10. *Palmblad, H. V. E.:* Shakespeare and S. In: Germanic Review 3 (1928), 71–79 u. 168–77.
11. *Ders.:* S.'s conception of history. New York 1927.
12. *Poulenard, É.:* S. et Rousseau. Paris 1959.
13. *Schmidt, H.:* S. und Haeckel. In: Natur und Geist 2 (1934), 267–71.
14. *Taub, H.:* Schopenhauer und A. S. In: Schopenhauer-Jb. 37 (1956), 42–54.

4.5. *Dramen*

4.5.1. *Allgemeines*

1. *Adamov, A.:* A. S. Dramaturge. Avec la collaboration de Maurice Gravier. Paris 1955.
2. *Berendsohn, W. A.:* A. S. Ein geborener Dramatiker. München 1956.
3. *Börge, V. A.:* S., Prometheus des Theaters. Wien u. München 1974.
4. *Dahlström, C. E. W. L.:* S.'s dramatic expressionism. Ann Arbor. Univ. of Michigan 1930 (= Univ. of Michigan publ. in language and literature, vol. VII).

5. *Dietrich, Margret:* Das moderne Drama. Stuttgart ²1963, 133–49.
6. *Eaton, Winifred Kittredge:* Contrasts in the representation of death by Sophocles, Webster and S. Salzburg 1975.
7. *Hedvall, Y.:* S. på Stockholmsscenen 1870–1922. Sth. 1923.
8. *Hortenbach, Jenny:* Freiheitsstreben und Destruktivität. Frauen in den Dramen A. S.'s und Gerhart Hauptmanns. Oslo 1965.
9. *Jensen, H. J.:* Swedenborgian and other religious influences upon S.'s dramatic expressionism. Ph. D. diss. Wayne State Univ. 1972.
10. *Jolivet, A.:* Le théâtre de S. Paris 1931.
11. *Klaf, F. S.:* S. The origin of psychology in modern drama. New York 1963.
12. *Lamm, M.:* S.'s dramer. 2 Bde. Sth. 1924–26.
13. *Lunin, H.:* S.'s Dramen. Emsdetten [Westf.] 1962 (= Die Schaubühne 60).
14. *Marcus, C. D.:* S.'s Dramatik. München 1918.
15. *Ollén, G.:* S.'s dramatik. Sth. 1966.
16. *Ders.:* A. S. Velber 1968 (= Friedrichs Dramatiker des Welttheaters 54).
17. *Passerini, E. M.:* S.'s absurdist plays. An examination of the expressionistic, surrealistic and absurd elements in S.'s drama. Ph. D. diss. Univ. of Virginia 1971.
18. *Peukert, Ester:* S.'s religiöse Dramatik. Versuch einer historischen und systematischen Bestimmung ihrer religiösen Motive. Phil. Diss. Hamburg 1929.
19. *Szondi, P.:* Theorie des modernen Dramas. Rev. Ausg. Frankfurt 1963 (= edition suhrkamp 27) [über S. 40–57].
20. *Vogelweith, G.:* Le psychothéâtre de S. Paris 1972.
21. *Ders.:* Attente et intuition de la psychoanalyse dans le théâtre de S. In: Scandinavica 12 (1973), 1–16.
22. *Volz, R.:* S.'s Wanderungsdramen. Studien zur Episierung des Dramas. Phil. Diss. München 1975 (masch.).
23. *Zentner, J.L.:* S.'s wander plays. Ph. D. diss. Univ. of California 1963–64.

4.5.2. Perioden (ohne Einzelwerke)

4.5.2.1. Naturalistische Dramatik

1. *Dahlström, C. E. W. L.:* S. and naturalistic tragedy. In: SS 30 (1958), 1–18.
2. *Ders.:* S. and the problem of naturalism. In: SS 16 (1940/41), 212 bis 19.
3. *Ders.:* S.'s »Naturalistiska sorgespel« and Zola's naturalism. In: SS 17 (1942/43), 269–81; 18 (1944/45), 14–36, 41–60, 98–114, 138 bis 55, 183–94.
4. *Friou, K. A.:* Non-naturalist elements in S.'s principle naturalist plays: Miss Julie and The Father. Ph. D. diss. Univ. of Wisconsin 1972.

5. *Gravier, M.:* Le théâtre naturaliste de S. Réalité et poésie. In: Réalisme et poésie au théâtre. Paris 1960, 99–117.
6. *Madsen, B. G.:* S. as a naturalistic theorist: the essay »Om modernt drama och modern teater«. In: SS 30 (1958), 85–92.
7. *Ders.:* S.'s naturalistic theatre and it's relation to French naturalism. Seattle 1962. Repr. New York 1973. Auch: Copenhagen 1962.

4.5.2.2. Nachinfernodramatik

1. *Børge, V. A.:* S.'s mystiske Teater. Æstetisk-dramaturgiske Analyser med særlig Hensyntagen til Drömspelet. Kbh. 1942.
2. *Dahlström, C. E. W. L.:* Origins of S.'s expressionism. In: SS 34 (1962), 36–46.
3. *Diebold, B.:* Anarchie im Drama. Kritik und Darstellung der modernen Dramatik. Frankfurt a. M. 1921 [Nachdr. der 4. neu erw. Aufl. New York u. London 1972], 147–232.
4. *Howard, G. S.:* S.'s use of irony in his post-Inferno-dramas. Ph. D. diss. Univ. of Minnesota 1969.
5. *Jarvi, R. R.:* S.'s post-Inferno dramas and music. Ph. D. diss. Univ. of Washington 1970.
6. *Kesting, Marianne:* Der Abbau der Persönlichkeit. In: Beiträge zur Poetik des Dramas, hg. v. W. Keller. Darmstadt 1976, 211 bis 35.
7. *Dies.:* S. und die Folgen. In: M. Kesting: Vermessung des Labyrinths. Studien zur modernen Ästhetik. Frankfurt a. M. 1965, 126–38.
8. *Neudecker, N.:* Der »Weg« als strukturbildendes Element im Drama. Meisenheim 1972 (= Deutsche Studien 11).
9. *Paul, F.:* Episches Theater bei S.? In: GRM N. F. 24 (1974), 323–39.
10. *Stockenström, G.:* Ismael i öknen. S. som mystiker. Uppsala 1972 (= Acta universitatis Uppsaliensis. Hist. litterarum 5).
11. *Vriesen, H.:* Die Stationentechnik im neueren deutschen Drama. Phil. Diss. Kiel 1934, 40 ff.
12. *Wiespointner, K.:* Die Auflösung der architektonischen Form des Dramas durch Wedekind und S. Phil. Diss. Wien 1949 (masch.).

4.6. Erzählprosa (ohne Einzelwerke)

1. *Berendsohn, W. A.:* A. S.'s skärgårds- och Stockholmsskildringar. Struktur- och stilstudier. Sth. 1962.
2. *Børge, V. A.:* S. og H. C. Andersen. Kbh. 1931 [dt.: Der unbekannte S. Studie in nordischer Märchendichtung. Ü. v. E. Schering. Kopenhagen u. Marburg 1935].
3. *Borland, H.:* The dramatic quality of S.'s novels. In: MD 5 (1962/63), 299–305.

4. *Johannesson, E. O.:* The problem of identity in S.'s novels. In: SS 34 (1962), 1–35.
5. *Ders.:* The novels of A. S. A study in theme and structure. Berkeley [usw.]: Univ. of California Pr. 1968.
6. *Kärnell, K.-Å.:* S.'s bildspråk. En studie i prosastil. Sth. 1969.
7. *Lindblad, G.:* A. S. som berättare. Studier i hans tidigare prosa. Sth. 1924.
8. *Poulenard, É.:* A. S. Romancier et nouvelliste. Paris 1962.

4.7. Lyrik

1. *Ollén, G.:* S.'s 1900-talslyrik. Sth. 1941.

4.8. Musik und Malerei

1. *Berendson, W. A.:* A. S. und die Musik. In: Julius Weismann-Archiv. 1957. Duisburg 1958, 13–23.
2. *Hellström, V.:* S. och musiken. Sth. 1917.
3. *Schmidt, T. M.* (Hg.): S.'s måleri. Sth. 1972.
4. *Söderström, G.:* S. och bildkonsten. Sth. 1972 (siehe auch Jarvi: 4.5.2.2./5).

4.9. Rezeptionsgeschichte

4.9.1. Allgemein

1. S. och världen. En internationell rundfråga. [Mit Antworten u. a. v. Jean Cocteau, Thomas Mann, Alfred Neumann, Tarjei Vesaas, Thornton Wilder.] In: SLT 12 (1949), 1–72.

4.9.2. Deutschsprachige Länder

1. *Andreas-Salomé, Lou:* Zum Bilde S.'s. In: Das literarische Echo 17 (1914/15), Sp. 645–653.
2. *Baumgartner, W.:* Kafkas Strindberglektüre. In: Scandinavica 6 (1967), 95–107.
3. *Berendsohn, W. A.:* S. und Österreich. In: MfS 9 (1951), 8–11.
4. *Ders.:* A. S. und Franz Kafka. In: DVJs 35 (1961), 630–33.
5. *Burkhard, A.:* A. S. and modern German drama. In: The German Quarterly 6 (1933), 163–74.
6. *Csokor, T.:* A. S. in Österreich. In: Der Monat 4 (1952), Heft 47, 526–30.
6a. *Friese, W.* (Hg.): S. und die deutschsprachigen Länder. Internationale Beitr. zum Tübinger S. – Symposion 1977. Basel 1979.
7. *Gravier, M.:* S. et le théâtre moderne. I. L'Allemagne. Paris 1949 (= Bilbiothèque de la société des études germaniques, II).

8. *Ders.:* S. et le théâtre naturaliste allemand. In: Études Germaniques 2 (1947), 201–11, 334–48; 3 (1948), 25–36, 383–96.
9. *Ders.:* S. et Wedekind. In: Études Germaniques 3 (1948), 309–18.
10. *Ders.:* S. et Kafka. In: Études Germaniques 8 (1953), 118–40.
11. *Inzirillo, P.:* A. S. e Frank Wedekind. Tesi di laurea in lingue e letterature straniere moderne. Facoltá di lettere, Univ. di Roma 1967. Roma [1969].
12. *Linde, E.:* Drömstilen hos S. och Kafka. In: BLM 15 (1946), 760–65.
13. *Melchinger, S.:* German theatre people face to face with S. In: World Theatre XI, 1 (1962), 31–44.
14. *Merbach, P. A.:* A. S. auf Berliner Bühnen. In: Berliner Hefte 4 (1949), I., 103–14.
15. *Pritzker, M.:* S. und Dürrenmatt. In: Studien zur dän. und schwed. Literatur des 19. Jh.s. Basel 1976 (= Beiträge zur nordischen Philologie 4), 241–55.
16. *Ruckgaber, E.:* Das Drama A. S.'s und sein Einfluß auf das deutsche Drama. Phil. Diss. Tübingen 1953 (masch.).
17. *Schmidt, V. V.:* S.'s impact on Kafka. Ph. D. diss. Univ. of Texas 1966/67.
18. *Sedlacek, P.:* A. S. und Franz Kafka. Versuch einer vergl. Betrachtung von Persönlichkeit und Werk. Phil. Diss. Wien 1966 (masch.).
19. *Tiusanen, T.:* Strindmatt or Dürrenberg? Dürrenmatt's Play Strindberg. In: S. and modern theatre, 43–55. [4.1./9]
20. *Tramer, F.:* Kafka und S. In: DVJs 34 (1960), 249–56.
21. *Walter, J.:* Wolfgang Borchert und A. S. In: Modern språk 61 (1967), 263–74.

4.9.3. Frankreich

1. *Ahlström, S.* [4.3.2./1]
2. *Ders.:* S. et la critique française de son époque. In: OL 13 (1958), 133–40.
3. *Dahlström, C. E. W. L.:* The Parisian reception of S.'s plays. In: SS 19 (1946/47), 195–207.
4. *Gierow, C.-O.:* Documentation – Évocation. Le climat littéraire et théâtral en France des années 1880 et »Mademoiselle Julie« de S. Sth. 1967.
5. *Gravier, M.:* S. et Ionesco. In: [4.1./9], 9–29.
6. *Ders.:* S. and French drama. In: World Theatre XI, 1 (1962), 45–60. (4.1./7)
7. *Senelick, L.:* S., Antoine and Lugne-Poë: a study in cross purposes. In: MD 15 (1974), 390–401.
8. *Swerling, A.* (Hg.): In quest of S.: letters to a seeker. London 1970.
9. *Ders.:* S.'s impact in France 1920–1960. Cambridge 1971.

4.9.4. Angelsächs. Länder

1. *Gassner, J.:* The influence of S. in the U.S.A. In: World Theatre XI, 1 (1962), 21–30. [4.1./7]
2. *Meyer, M.:* S. in England. In: Essays on S. [4.1./8], 65–73.
3. *Oster, Rose-Marie G.:* Hamm and Hummel. Beckett and S. on the human condition. In: SS 41 (1969), 330–45.
4. *Rapp, Esther H.:* S.'s reception in England and America [Bibliographie]. In: SS 23 (1951), 1–22, 49–59, 109–37.
5. *Steiner, D. L.:* A. S. and Edward Albee: The Dance of Death. Ph. D. diss. Univ. of Utah 1972.
6. *Vowles, R. B.:* Tennessee Williams and S. In: MD 1 (1958/59), 166–71.
7. *Westman, G.:* S. i U.S.A. Landskrona 1920.
8. *Williams, R.:* S. and the new drama in Britain. In: World Theatre XI, 1 (1962), 61–66. [4.1./7]
9. *Winther, S. K.:* S. and O'Neill: a study of influence. In: SS 31 (1959), 103–20.

1. Autobiographie und Fiktionalität: Strindbergs Leben und Werk im Spiegel der autobiographischen Schriften

Kaum ein Problem hat die Strindbergforschung so sehr beschäftigt wie Strindbergs bizarre Biographie. Als Quellen dienten u. a. Strindbergs riesiger Briefwechsel (vgl. Brev 1.1/12), Äußerungen und Erinnerungen seiner Ehefrauen, von Freunden und Zeitgenossen und die sogenannten autobiographischen Werke (IV/1–5). Die problematische Verwendung von Strindbergs subjektiven Berichten in den »autobiographischen« Werken durch wissenschaftliche Biographen wurde mehrfach bemängelt (u. a. Lindström in 3.0/9). Die neueren, bedeutenden wissenschaftlichen Biographien von T. Eklund [4.3.2/12], G. Brandell [4.3.2/8] und A. Hagsten [4.3.2/14] sind sich jedoch dieser Problematik bewußt. Eklund sieht (S. 195) in der *Beichte eines Toren* (Le plaidoyer d'un fou) ein künstlerisch kalkuliertes, artistisch angelegtes Werk im Gegensatz zu den »Bekenntnisbüchern« *Inferno* und *Legenden* (Légendes), während Brandell auch *Inferno* als ein fiktionales Werk bezeichnet. Hagsten gelingt der Nachweis, daß Strindberg in *Sohn einer Magd* (Tjänstekvinnans son) alle Vorgänge so arrangiert und uminterpretiert hat, daß sie sich in seine pessimistische Selbstinterpretation als »Fremdling im Dasein« einfügten.

Das nahezu detektivische Aufspüren autobiographischer Reflexe in dichterischen Werken ist in den letzten Jahrzehnten als literaturwissenschaftliche Methode zu Recht suspekt geworden. Für Strindberg gilt dieser Vorbehalt nicht unbedingt, da in vielen seiner Werke offensichtlich die Bereiche von Autobiographie und Fiktionalität vermischt werden, da gerade der literarische Rang zum guten Teil auf dem Subjektivismus, der Egozentrik dieser Werke beruht. Strindbergs Werk ist ohne die Kenntnis seiner vita nicht voll verständlich, erst die Entschlüsselung autobiographischer Anspielungen, der privaten Symbole und Mythen, die manchmal als Kryptogramme in das Werk hineingeheimnist, dann wieder als nahezu unverhüllte Autobiographie in ein fiktionales Werk überführt sind, ermöglicht eine einigermaßen zuverlässige Interpretation der Werke, vor allem der nach 1894.

Ein Beispiel mag diese private Allusionstechnik mit ihrem biographischen Hintergrund und ihrem symbolischen Stellenwert erläutern: In *Nach Damaskus I* (Till Damaskus) hat sich Der Unbekannte, die Zentralfigur und Strindbergs alter ego »eine Hüftkrankheit zugezogen«, nachdem man ihn »auf den

1

Bergen [...] mit einem Kreuze« gefunden hatte, mit dem er »jemandem oben in den Wolken drohte«. Strindbergs autobiographisches Fragment über die Infernokrise *Jakob ringt* (IV/4; Jakob brottas) und die Bibel liefern den Schlüssel für diese Anspielung: Strindberg *ist* der Jakob aus Genesis 32, dem im Ringen mit Gott das Hüftgelenk ausgerenkt wurde. In den Schlußzeilen von Strindbergs letztem Stück *Die große Landstraße* (Stora landsvägen) wird diese leitmotivische Anspielung erneut aufgegriffen und mit einer anderen biblischen Figur verknüpft:

> »Hier ruht Ismael, der Hagar Sohn,
> der einmal Israel genannt ward,
> weil er mit Gott gekämpft.«

»Der Hagar Sohn« ist *Der Sohn einer Magd:* Anspielung auf Titel und Attitüde der autobiographischen Jugendgeschichte (IV/1).

Diese ständige Vermischung von Biographischem und Fiktionalem, der Reflexe der bizarren vita im Werk, oder besser von Strindbergs subjektiver Auffassung seines Lebens, und zugleich die Fiktionalisierung des Autobiographischen schafft Probleme biographischer und gattungstheoretischer Art: Die »Autobiographie« ist als Quelle für jegliche Strindbergbiographie nur mit Vorsicht zu verwenden, da sie sich dem Roman nähert. In der ersten autobiographischen Schrift wird das autobiographische Ich, getarnt in der dritten Person, unter dem Namen »Johan« (ein weiterer Vorname Strindbergs) in der Form des auktorialen Romans vorgestellt. Dieses Spiel mit Namen, die Beobachtung des eigenen Ichs als andere, dritte Person wollte man mit der umstrittenen schizoiden Veranlagung Strindbergs erklären (Jaspers). Die Stilisierung der Jugendgeschichte als die Leidensgeschichte des »Sohnes einer Magd« zeigt deutlich Strindbergs subjektivistische Verfahrensweise, die er ohne Bedenken auch wieder relativieren kann, wenn er in *Jakob ringt* von der »unwahren Darstellung« spricht, die seine Selbstbiographie *Der Sohn einer Magd* über die Krisis der Pubertät gibt.

Als *Sohn einer Magd* wurde Strindberg am 22. Januar 1849 in Stockholm geboren. Die romanhafte Autobiographie markiert mit ihrem Titel »ein wenig übertrieben, daß er von der Mutter her von der Unterklasse stammte« (Eklund). Tatsächlich war die Mutter zunächst Kellnerin und Dienstmagd gewesen, bevor sie eine erst nachträglich legalisierte Bindung mit dem Kaufmann (»Dampfboot-Kommissionär«) Carl Oscar

Strindberg einging. Die ersten der elf Kinder wurden unehelich geboren, Strindberg selbst als viertes bereits ehelich; die Ehe wurde von der Familie des Vaters als Mesalliance betrachtet. Strindbergs lebenslanges Trauma hinsichtlich Geburt, Kindheit und Jugend läßt sich nur aus dieser Situation erklären: Denn die ökonomischen Verhältnisse waren zunächst und bis zum Konkurs des Vaters eher großbürgerlich. Der Vater war religiös, hart, ein »Aristokrat«, ohne Verständnis für die Sensibilität des Sohnes, die Mutter »nervös«, »Demokratin aus Instinkt«; Strindberg empfindet die zahlreichen Geschwister als ständige Konkurrenten in der Gunst der Mutter, die Schule »als eine Lehrzeit für die Hölle und nicht fürs Leben«. Er fühlt sich vom gefühlskalten Vater, einem Wahrheitsfanatiker (»Lüge wurde schonungslos verfolgt und Ungehorsam auch«; IV/1, 13), und den Lehrern ungerecht behandelt. Der öffentlichen Schule und dem damit verbundenen Kontakt mit der »Unterklasse« folgte eine Privatlehreranstalt der »Oberklasse« mit »liberalem Geist«. Die frühen Schlüsselerlebnisse (Hagsten): Die übermächtige Vaterfigur, Prototyp der richtenden und strafenden Autorität (»August ist so merkwürdig, aus ihm wird nie etwas«), der Konkurs des Vaters, der Pietismus und die Erweckungsbewegung, der frühe Tod der Mutter, das schlechte Verhältnis zur Stiefmutter, die Pubertätskrise (Onanieproblem), religiöse Schuldprobleme und Stockholms bürgerliches Milieu, die Stadt selbst und ihr Umland, werden von Strindberg und von seinen Biographen als ausschlaggebend für die spätere Entwicklung angesehen. Eklund weist darüber hinaus auf Strindbergs generellen Minderwertigkeitskomplex und seine psychopathische (»hysterischer Charakter«) Veranlagung hin.

Im Zusammenhang mit diesen disperaten Elementen, die sich, trotz mancher wissenschaftlicher Versuche, nicht zur Einheit fügen ließen, sieht S. Rinman (4.2/17) die Entwicklung von Strindbergs typischen schriftstellerischen Eigenschaften: ein unerhörtes Eindrucks- und Beobachtungsvermögen entspricht einem ebenso unerhörten Ausdruckswillen. Schreiben wird zur Zwangshandlung. Strindberg betrachtet bereits frühzeitig sein Ich und seine Probleme als öffentliche Angelegenheiten, wobei er, ein Hauptzug seines Charakters, gegen Autorität in jeder Form kritisch reagiert (Berendsohn): Religion, Staat, Literatur, Wissenschaft, und gegenüber diesen Autoritäten häufig emotionale (und z. B. in der Wissenschaft dilettantische) Gegenpositionen bezieht. Erstmals zeigt sich dies im Bruch mit dem Pietismus des Elternhauses nach dem »Studentexamen« (Abitur) während seiner Studienzeit (als stud. phil.) in Uppsala von 1867–72.

Das früheste erhaltene Werk *Der Freidenker* (Fritänkaren; geschr. 1869, gedr. pseudonym 1870) kennzeichnet diese Konfliktsituation und verweist auch auf Strindbergs geistige Entwicklung während der Studienzeit: Es beginnt bezeichnenderweise mit dem Wort »Nein«. Als heterogene Lektürefrüchte eingeflossen sind in dieses Werk: die antidogmatische rationalistische Religionsphilosophie des Amerikaners Theodore Parker, Ibsens *Brand* (1866), die schwedischen Dichter Rydberg und Runeberg.

Strindberg unterbrach bzw. wechselte mehrfach das Studium und versuchte sich aufgrund ökonomischer Schwierigkeiten und großer Unsicherheit bei der Berufswahl als Volksschullehrer, Hauslehrer, Medizinstudent, Statist und erfolgloser Schauspieler am Dramatischen Theater. Den ersten Erfolg als Schriftsteller hatte Strindberg 1870 mit dem Einakter *In Rom* (I Rom; über Thorvaldsen), der vom Dramatischen Theater in Stockholm, ebenso wie das altertümelnde Trauerspiel *Der Friedlose* (Den fredlöse; 1871), zur Aufführung angenommen wurde. König Karl XV. verschaffte Strindberg aufgrund dieser Erfolge ein Stipendium für Uppsala.

Dieser zweite Studienabschnitt von 1870–72 hat in seiner bizarren Mischung von rückwärts- und vorwärtsgewandter Weltanschauung und Ästhetik Modellcharakter für Strindbergs weiteres Leben: Die nordische Vorzeit wird im Geiste Oehlenschlägers in dem von Strindberg gegründeten Runabund in spätromantischer sentimentaler Attitüde verherrlicht. – Im Frühjahr 1871 entfernt sich Strindberg dieser »idealistischen« Schule und wird »Realist«. Der Gegensatz von »Idealismus« und »Realismus« bestimmt die Ästhetik der folgenden Jahre, wie sie in der ersten theoretischen Schrift *Hakon Jarl oder Idealismus und Realismus* (Hakon Jarl eller Idealism och Realism; gedr. als Einschub in *Sohn einer Magd*, Ss 18, 400 ff.; auf deutsch nie veröffentlicht: Lücke in IV/1, 432) formuliert ist. Diese von C. R. Nyblom, einem führenden Ästhetiker, nicht angenommene Examensarbeit ist der Prototyp für viele spätere theoretische Abhandlungen: unsystematisch, bizarr, feuilletonistisch und trotzdem stringent innovatorisch. Unter dem Einfluß von Kierkegaard und den Frühschriften von G. Brandes fordert Strindberg einen neuen Realismus und die Lösung von überkommenen Formen in der dramatischen Literatur, Forderungen, die er in der genialischen ersten Prosafassung von

4

Meister Olof (Mäster Olof; vgl. S. 22) im Sommer 1872 verwirklichte. Das Werk wurde vom Theater abgelehnt und erst
ein Jahrzehnt später uraufgeführt.

Strindberg verließ 1872 ohne Examen die Universität und
verdiente sich als freier Journalist bei verschiedenenZeitungen
in Stockholm (u. a. bei ›Dagens Nyheter‹) seinen Lebensunter-
halt. Schweden hatte sich seit der Mitte des 19. Jh.s von der
Agrargesellschaft – gegenüber dem übrigen Europa verspätet
– langsam zur Industriegesellschaft gewandelt. Neue, oft radikale Ideen bestimmten die intellektuelle Jugend in Stockholm.
Ein Bohème-Zirkel im »Roten Zimmer« in »Berns Salon« (vgl.
Das rote Zimmer, Röda Rummet) wurde zum Debattierklub
der neuen sozial-radikalen Ideen (Darwin, Tocqueville usw.),
in dem von Strindberg alle nationalen, religiösen und politischen Normen in Frage gestellt wurden.

Der Brotberuf eines Bibliothekars an der Königlichen Bibliothek ab 1874 (bis 1882) ermöglichte Strindberg die vielfälti-
gen, oftmals dilettantischen Studien u. a. über Kulturgeschichte,
Kulturgeographie, Sinologie, deren Früchte teils in halbgelehr-
ten Abhandlungen, teils als Versatzstücke in den späteren Werken wieder auftauchen.

1875 lernte er die verheiratete Schauspielerin Siri Wrangel,
geborene von Essen, kennen. Aus dem freundschaftlichen Verhältnis zum Ehepaar Wrangel entwickelte sich ein Liebesver-
hältnis zu Siri von Essen, dessen äußere Verwicklungen Strindberg in eine psychische Krise trieb. Strindberg an Siri von
Essen über den Baron Wrangel: »Als Freund ist er der edelste,
der beste, der nobelste, den ich gefunden habe. Als Freund liebe
ich ihn! Aber als Ihren Gatten, als boshaften Tyrannen meiner
Geliebten hasse ich ihn.« (VIII/1, 109) Strindberg hat den
selbstquälerischen, leidenschaftlichen Briefwechsel mit Siri von
Essen aus den Jahren 1875–76 nachträglich in die Sammlung
Er und Sie (VIII/1; *Han och hon,* Ss 55) aufgenommen, wobei
er, wie in *Sohn einer Magd* und *Beichte eines Toren,* sich selbst
als Johan, Siri von Essen als Maria und den Baron Wrangel als
Gustav fiktionalisiert. Nach der Scheidung heiratete Strindberg Siri von Essen am 30. Dezember 1877 und richtete sich in
Stockholm bürgerlich ein. Die folgenden Jahre bis etwa 1884
– Strindbergs erste lange produktive Phase – waren die har-
monischsten in seinem Leben. Ein Kreis von Freunden, Thea-
terleuten und Schriftstellern sammelte sich in Strindbergs Stockholmer Stadtwohnung und im Sommer auf einer Schäreninsel.
Die Schärenlandschaft wurde für Strindberg (ein Reflex seiner

Rousseau-Lektüre?) zeitlebens zum privaten locus amoenus, dem als literarisierte, impressionistisch geschilderte Landschaft in den sogenannten Schärenromanen *Die Inselbauern* (Hemsöborna) und *Am offenen Meer* (I havsbandet) (vgl. S. 110 ff.) ein unvergleichliches poetisches Denkmal gesetzt wurde. Strindberg unterstützte zunächst die Theaterkarriere seiner emanzipierten Frau, später litt er zunehmend unter exzessiver Eifersucht auf ihren Beruf und die damit verbundenen Kontaktmöglichkeiten.

Mit dem Roman *Das rote Zimmer* (Röda rummet) (vgl. S. 105 ff.) hatte Strindberg 1879 seinen ersten großen literarischen Erfolg. Der von Georg Brandes 1871 in Kopenhagen eingeleitete »Moderne Durchbruch« wurde nun verspätet in Schweden wirksam. Strindberg wurde von den »Modernsten« in Skandinavien als einer der ihren anerkannt, wie etwa der Briefwechsel der folgenden Jahre mit Edvard Brandes zeigt. In Schweden blieb Strindberg, obwohl bald Haupt einer Gruppe junger Autoren mit dem Namen »Junges Schweden« (Unga Sverige), umstritten. Strindbergs Fähigkeit, sich nahezu gleichzeitig mit den verschiedsten Gattungen und den heterogensten Themen auseinanderzusetzen, zeigt sich nun erstmals in der literarischen Produktion um 1880. Neben den erfolgreichen, im Hinblick auf die Schauspielkarriere seiner Frau konzipierten drei Dramen *Das Geheimnis der Gilde* (Gillets hemlighet; 1880), *Glückspeters Reise* (Lycko-Pers resa; 1882) und *Ritter Bengts Gattin* (Herr Bengts hustru; 1882) verfaßte Strindberg mehrere kulturhistorische Arbeiten, u. a. das große Werk *Das schwedische Volk* (Svenska folket; 1880–82), das sich durch seine neue sozialhistorische Perspektive auszeichnete und von der offiziellen Kritik abgelehnt wurde. Die hitzige Polemik, die sich daraus entwickelte, kulminierte auf Strindbergs Seite in dem satirischen Pamphlet *Das neue Reich* (Det nya riket; 1882), in dem Strindberg die neue schwedische Gesellschaft (nach der Wahlrechtsreform von 1865/66) in der Form einer fiktionalen Zeitungsreportage auf das heftigste attackierte und damit seinen späteren Bruch mit dem offiziellen Schweden einleitete. Der von Rousseau und Buckle beeinflußte demokratische Radikalismus dieser Schrift korrespondierte durchaus mit Strindbergs neuer Ästhetik, wie sie in der gleichzeitig entstandenen Abhandlung *Über Realismus* (Om realism) formuliert ist. Strindberg hatte Zolas Programmschriften kennengelernt, er wurde nach eigenem Zeugnis (Brief an C. R. Nyblom) »Räuberanführer der realistischen Schule und Schüler Zolas« genannt, und er bekannte sich in einem Brief an E. Brandes – demgegenüber er sich schon 1880 als »Sozialisten, Nihilisten und Republikaner« bezeichnet hatte – ausdrücklich zur Tendenzliteratur: »Wenn man einen Kampf ansagt, ist es ein Verbrechen, unparteiisch zu sein, und man darf die Sachen nicht vom ästhetischen Standpunkt aus betrachten« (26. 7. 82). Einflüsse des russisch-sozialrevolutionären Nihilismus um 1880 und damit verbundener »populistischer« Ideen, aber auch die Lektüre von Eduard von Hartmanns *Philosophie des Unbewußten* (S.-G. Edqvist) spielen bei diesen Bekenntnissen eine Rolle.

Der Versuch, sich nach dem Vorbild anderer skandinavischer Verfasser einen weiteren Gesichtskreis zu erwerben, führte zur Frankreichreise von 1883, wo Strindberg in einem Kreis von Skandinaviern in Paris u. a. Bjørnson und Jonas Lie kennenlernte. Aus der ursprünglich geplanten Ferienreise wurde eine sechsjährige Irrfahrt durch Frankreich, die Schweiz, Italien, Deutschland und Dänemark. Heimweh nach und Haß auf Schweden kennzeichnet in dieser Zeit Strindbergs ambivalentes Verhältnis zu seinem Heimatland.

Der Einfluß der französischen Kultur dominierte in dieser Schaffensperiode. Strindberg schrieb in den achtziger und neunziger Jahren mehrere Werke auf französisch – u. a. *Le plaidoyer d'un fou,* 1887–88 (Die Beichte eines Toren) und über französische Verhältnisse *Unter französischen Bauern* (Bland franska bönder; 1889), um Zugang zum französischen Publikum zu erhalten. Strindberg bezeichnete sich in dieser Zeit abwechselnd als »Rousseauist«, »Nihilist« und »Agrarsozialist«, Standpunkte, die einerseits durch einen vagen, von russischen Emigranten beeinflußten Anarchismus (S. Rinman) verbunden, andererseits durch zunehmende individualistische und aristokratische Neigungen – unter dem Einfluß des schwedischen Dichters Verner v. Heidenstam, mit dem er in der Schweiz Freundschaft schloß – relativiert wurden. Seine von Rousseau und Voltaire bestimmte Gesellschaftskritik verband Strindberg mit der Utopie eines vormarxistischen Sozialismus in der Novellensammlung *Utopien in der Wirklichkeit* (Utopier i verkligheten; geschr. 1884, gedr. 1885; dt. in: *Schweizer Novellen* III/2, Novellen 1–4). Uneinig war Strindberg trotz dieser seiner politischen Neigungen mit der Frauenbewegung der siebziger und achtziger Jahre. Seine Angriffe gegen diese Bewegung und deren literarische Protagonisten, u. a. Ibsen, war zunächst nur gegen bestimmte Frauentypen der Oberschicht gerichtet, entwickelte sich aber nach und nach zu einem eigenartigen Antifeminismus, dessen Ursachen sicher zu einem guten Teil in Strindbergs Psyche und Biographie zu finden sind, u. a. in der »kameradschaftlichen Ehe zwischen zwei künstlerisch und intellektuell tätigen Personen« (Eklund).

Strindbergs Ansichten über die Frauen, speziell über seine Ehe mit Siri von Essen, waren nicht nur Grundlage für die späteren psychischen Depressionen und die Scheidungsaffären, sondern finden sich auch als Reflexe und Versatzstücke in nahezu allen bedeutenden Werken bis hin zu den *Kammerspielen* (Kammarspel; 1906) wieder: Unter dem Einfluß von Minderwertigkeitsgefühlen, Impotenzängsten und extremen Eifersuchtsanfällen entwickelte sich sein Frauenbild: Die polygam veranlagte Frau entzieht sich der natürlichen Vorherrschaft des Mannes durch Emanzipation, selbständiges Arbeiten und Denken; der Mann muß ständig mit der Untreue rechnen, er kann in keinem Fall absolut sicher sein, der Vater seiner Kinder zu sein.

Diese extremen Anschauungen entwickelten sich erst nach dem Gotteslästerungsprozeß um seine keineswegs antifeministische Novellensammlung *Heiraten I* (Giftas I; 1884. Vgl. S. 107), wo Strindberg in der ersten Erzählung (*Dygdens lön;* dt. in der Schering-Ausgabe unter dem Titel *Asra,* III/1) aus seiner atheistischen Anschauung der achtziger Jahre die Abendmahlpraxis der schwedischen Kirche satirisch verspottet hatte: »Daß des Weinhändlers Högstedts Piccardon à 65 Öre die Kanne und des Bäckers Lettströms Maisoblaten à 1 Krone das Pfund vom Geistlichen fälschlich für das Fleisch und Blut des vor 1800 Jahren hingerichteten Volksaufwieglers Jesus von Nazareth ausgegeben wurden.« Strindberg wurde wegen Gotteslästerung in Schweden angeklagt, reiste selbst zum Prozeß und wurde freigesprochen, ein Pyrrhussieg, denn nun verlor er in Schweden »die letzten Reste seines öffentlichen Ansehens, das er nie zu Lebzeiten zurückgewinnen sollte« (S. Rinman). Außerdem wurde der Prozeß Auslöser einer Krisensituation und ein entscheidender Wendepunkt vor der sogenannten Infernokrise.

Bereits in *Heiraten II* (Giftas II; 1886) ist der Antifeminismus voll ausgeprägt. Er wird in den großen naturalistischen Dramen *Der Vater* (Fadren; 1887) und *Fräulein Julie* (Fröken Julie; 1888) variiert und bestimmt in der romanhaften Autobiographie *Der Sohn einer Magd/Die Entwicklung einer Seele* (geschr. 1886, gedr. 1886–1909) und *Die Beichte eines Toren* (geschr. 1887–88, gedr. 1895; zuvor deutsche Übersetzung 1893: Vorlage für eine schwedische Ausg. 1893) teilweise die

Perspektive. Durch ihren Subjektivismus werden diese Werke als biographische Quelle partiell suspekt. An E. Brandes schrieb Strindberg über den ersten Teil des autobiographischen Werkes: Es seien keine »Confessions« oder »Mémoires«; Verschiedenes sei arrangiert; aber er habe das schwerste von allem zu sein versucht: ehrlich. Es fände sich kein Bild im ganzen Buch, oder überhaupt »Stil«, keine Satire, keine Landschaft und keine Frauen. – Das Werk kann als äußerste Konsequenz des von Zola geforderten dokumentarischen Romans wie auch als Beginn einer subtilen Beschreibung psycho-sozialer Vorgänge gesehen werden, die sich erst in den »Seelenlandschaften« der Literatur der Jahrhundertwende thematisch verselbständigen.

Kulturverachtung und Antifeminismus nach 1884 führten Strindberg ideengeschichtlich und persönlich zu Nietzsche, den er seiner Meinung nach teilweise vorweggenommen hatte. Georg Brandes stiftete die Bekanntschaft, die sich im Briefwechsel (bis 1889) zwischen Nietzsche und Strindberg und u. a. in den Romanen *Tschandala* (1888) und *Am offenen Meer* (I havsbandet; 1890) widerspiegelt.

Strindberg reiste in der zweiten Hälfte der achtziger Jahre ruhelos mit seiner Familie in Europa umher, versuchte in Deutschland bekannt zu werden, schrieb 1887 eine Reihe Novellen für deutsche und österreichische Zeitungen (gesammelt unter dem Titel *Visisektioner* (I) erst 1914 in Ss 22) und ließ sich eine längere Zeit in Bayern nieder, wo auch 1887 der große impressionistische Schärenroman *Die Leute auf Hemsö* (Hemsöborna) (in der Schering-Ausgabe: Die *Inselbauern* II/1) entstand, trotz Strindbergs zunehmender Gemütsverdüsterung ein »Scherzando«, freilich bereits mit dem Stilmittel des »Halluzinationsrealismus«, der Strindbergs einzigartige Fähigkeit bezeichnet, psychopathologische Vorgänge literarisch exakt zu beschreiben. Die Ehe spitzte sich krisenhaft zu. Schon 1887 wurde die Scheidung eingereicht, aber wieder zurückgezogen. Überstürzt verlegte Strindberg 1888 seinen Wohnsitz nach Dänemark. Er erhoffte sich dort bessere Aufführungsmöglichkeiten für seine neueren Dramen. Zugleich sollte seine Frau eine neue Chance als Schauspielerin erhalten. Ein zu diesem Zweck in Kopenhagen 1889 von Strindberg neu gegründetes Versuchstheater scheiterte, obwohl Strindberg aus diesem Anlaß einige seiner interessantesten Experimentierstücke geschrieben hatte (u. a. 1889 *Die Stärkere* [Den starkare] und *Paria).* Als »Gescheiterter«, persönlich und finanziell ruiniert, kehrte Strindberg 1889 nach Schweden zurück. Der Ehescheidungsprozeß von 1891–92 berührte ihn tief und bewirkte neben anderen Faktoren eine radikale Änderung seines rationalen in ein irrationales, mystisch-naturphilosophisches Weltbild, das in der weitläufigen von Haeckel beeinflußten Programmschrift *Antibarbarus* (geschr. 1893, deutsch publiziert 1894; schwed. publ. 1906) einen ersten Niederschlag fand.

Nach knapp dreijährigem Aufenthalt verließ Strindberg im Herbst 1892 erneut Schweden und ging auf Veranlassung des schwedischen Dichters Ola Hansson, eines Protagonisten moderner skandinavischer Literatur in Deutschland, nach Berlin. Über seine Situation in Schweden hatte er zuvor an Hansson geschrieben: »Die ganze Kunst besteht nur darin, wie man hier wegkommen soll [...] vor allem, da ich kürzlich erst zwei Pfändungen gehabt habe [...] Daß ich Landsleute, Freunde und Verwandte habe, nützt mir nichts, denn alle Quellen sind während dieser drei scheußlichen Jahre [...] erschöpft worden [...] In Schweden fehlt es bei allem, was August Strindberg tut, am guten Willen.«

Auf Veranlassung Hanssons erfolgte in Maximilian Hardens Zeitschrift »Die Zukunft« ein Aufruf zur Unterstützung Strindbergs, der in Deutschland nach Aufführungen von *Der Vater* und *Fräulein Julie* als Avandgardist bereits einen Namen hatte. Die Geldsammlung ermöglichte Strindberg die Reise nach und den Aufenthalt in Berlin.

In einer Künstlerkneipe, der Strindberg den Namen »Zum schwarzen Ferkel« gab, sammelte sich um den schwedischen Dichter eine Bohême-Clique von Künstlern und Literaten, u. a. Richard Dehmel, Paul Schlenther, die Brüder Hart, Carl Ludwig Schleich, der Schwede Bengt Lidforss, der dänische Autor Holger Drachmann, die Finnen Adolf Paul und Jean Sibelius, der polnische – teilweise deutsch schreibende – Dichter Stanislav Przybyszewski und die norwegischen Maler Christian Krogh und Edvard Munch. Munchs berühmte Strindberglithographie von 1896 geht auf diese Zeit zurück. Ob der falsch geschriebene Name »Stindberg« kryptische Bedeutung hat, ist unsicher. Jedenfalls kam es – trotz des hohen intellektuellen Niveaus des Kreises – zu persönlichen Spannungen und Haßausbrüchen zwischen den psychopathisch veranlagten Mitgliedern Strindberg und Przybyszewski sowie Bengt Lidforss. Anlaß war eine erotische Krisensituation, in deren Mittelpunkt die Norwegerin Dagny Juel, Przybyszewskis spätere Frau, stand. Als »Aspasia« und »Lais« spielt sie in Strindbergs Korrespondenz und den Infernobüchern eine Rolle.

Der Haß, mit dem Strindberg diese Dame später verfolgte, resultierte vermutlich auch aus Schuldgefühlen gegenüber der jungen österreichischen Journalistin Frida Uhl, die er in Berlin kennengelernt hatte, und die er im Mai 1893 in Helgoland überstürzt heiratete. Die Ehe blieb eine qualvolle Episode, die stark fiktionalisiert in der Erzählung *Karantänmästarns andra berättelse* aus der Novellensammlung *Fagervik och Skamsund* ihren Niederschlag fand (1902; Ss 37, 108–214; in der Schering-Ausgabe als »Autobiographie« unter dem Titel *Entzweit*, IV/5. Passage fehlt dementsprechend in *Heiterbucht und Schmachsund*, III/3; eine ursprünglichere, weniger stark fiktionalisierte Fassung von 1898 mit dem Titel *Das Kloster* [Klostret] wurde erst 1965 [dt. 1967] vollständig veröffentlicht). Nach ständigem hektischem Umherreisen in halb Europa, u. a. auch zu den Eltern seiner Frau in die österreichische Provinzstadt Dornach an der Donau, wo die Tochter Kerstin geboren wurde, kam Strindberg 1894 nach Paris zusammen mit seiner zweiten Frau, »meiner schönen Gefangenenwärterin, die Tag und Nacht meine Seele belauerte, meine geheimsten Gedanken ahnte«. Diese vom Verfolgungswahn bestimmte Charakterisierung von Frida Uhl im Einleitungskapitel von *Inferno* kennzeichnet bereits den Beginn der als Infernokrise bekanntgewordenen psychopathologischen Leidenszeit von 1894–96. Strindberg trennte sich von seiner Frau mit einem Kuß auf der Straße, um sie nie wieder zu sehen. Die Ehe wurde erst 1897 formell aufgelöst. Frida Uhl heirate wenig später Frank Wedekind.

Dem autobiographischen Werk *Inferno* (1897 auf französisch geschrieben, schwedische Übersetzung 1897, französische Erstausgabe 1898) und dessen Fortsetzung *Légendes* (Legenden; französisch 1898) gelingt wie kaum einem anderen Buch der Weltliteratur die exakte Schilderung pathologischer Seelenzustände. Strindberg verzichtet in diesem Ich-Bericht (Roman? – Strindberg: Kein Roman »mit stilistischen Ansprüchen und literarischer Konzeption«) auf die personale Fiktionalisierung der früheren Teile der Autobiographie. Das berichtende Ich sieht die Umwelt durch den Zerrspiegel der eigenen – im Nachhinein erkannten – Psychopathie, eine bizarre Welt, deren Beschreibung in vielen Partien Kafka vorwegnimmt. Obwohl Strindberg, wie S. Ahlström detailliert nachgewiesen hat, durch seine Erfolge am Théâtre Libre und dem Théâtre l'Œuvre einige Aufmerksamkeit in Paris erweckt hatte – freilich mehr in Form einer zeitweiligen Kuriosität – verlor er sich ab Sommer 1894 bis Herbst 1896 nahezu total in wellenförmig

11

verlaufende psychische Krisen: »Die Qualen, die mich rasend machen, möchte ich den unbekannten Mächten zuschreiben, die mich seit Jahren verfolgen.« – »Vom Atheismus bin ich in den vollständigen Aberglauben gefallen« (Inferno). Der Verfolgungswahn macht sich in grotesken Formen bemerkbar: Er glaubt, daß ihn der polnische Dichter Przybyszewski (»Popoffsky), »der Weib und Kind mit giftigen Gasen getötet hat«, ihn ebenfalls mit giftigem Gas töten will, seine Feinde verfolgen ihn als Elektriker, und er spürt elektrische Schläge und hört »Stimmen«. Hinzukommen die alten (sexuellen) Schuldgefühle und Obsessionen: Er ist »von den Mächten zur Kothölle verurteilt«. In ständiger Assoziation werden Dinge und Vorgänge in ein neues magisches Weltbild eingefügt. Strindberg hat Kontakt mit französischen Okkultisten, beschäftigt sich mit Theosophie, Alchimie (er versucht Gold zu machen), später unter dem Einfluß Schopenhauers via Eduard von Hartmann mit Buddhismus und mit einem magischen Katholizismus. Aus der heterogenen Lektüre entwickelte Strindberg eine noch lang fortwirkende synkretistische Religions- und Weltanschauung: »Obwohl ich sie nicht formulieren kann, hat sich eine Art. Religion in mir gebildet. Eher ein Zustand der Seele als eine auf Lehren gegründete Ansicht.« Entscheidend ist die intensive Lektüre der naturphilosophischen magisch-mystischen Schriften E. Swedenborgs (1688–1772), der Strindberg seine Position als »Auserwählter«, als von Gott gezüchtigter, als biblischer Jakob, der mit Gott gerungen hat (vgl. das Fragment *Jakob ringt [Jakob brottas]* aus *Legenden),* bestätigt. Die Krise klingt aus mit einer »Bußreise« nach Österreich zu den Eltern seiner zweiten Frau und seiner Tochter Kerstin. Seine existentielle Begegnung mit der »Mutter«, sein Schlafzimmer, die »Rosenkammer« werden später in der Infernodramatik *(Nach Damaskus)* als Versatzstücke symbolisch literarisiert.

Diese und andere Krisen Strindbergs wurden in der psychiatrischen Literatur abwechselnd als Paranoia (Hirsch), angeborene neuropsychopathische Disposition (Rahmer), Sexualpathologie (A. Uppvall) und Schizophrenie (Storch und Jaspers) gedeutet, eine These, der sich modifiziert u. a. auch Eklund anschloß. Jaspers sah die Kreativität von Genies wie Strindberg, Swedenborg, van Gogh und Hölderlin durch schizophrene »Schübe« zeitweilig unterbrochen, aber auch neu angeregt. Im Falle Strindbergs wurde gegen diese These zu Recht eingewendet, daß sie sich auf keinerlei bekannte Befunde, sondern nur auf literarische Selbstaussagen des Dichters berufe (S. Hedenberg). G. Brandell stellt in seiner Abhandlung *Strindbergs Infernokris* das *Inferno-Buch* in den Zusammenhang mit anderen zeitgenössischen »documents humains«: Hamsuns *Hunger,* Maupassants *Le Horla*, Przybyszewskis *Totenmesse*. Es sei eine Dichtung, die Strindberg nicht 1897, sondern im Augenblick der Selbsterfahrung geschaffen habe. Dagegen G. Stockenström: Strindbergs *Inferno* unterscheide sich von den genannten Werken »by the personal idiosyncrasies in his conversion and autodidactic mysticism«.

Unbestritten in der Literatur ist die Tatsache, daß die Erfahrung der Infernokrise Impetus und Gegenstand für eine ungeheur produktive Schaffensperiode, die sogenannte Nachinfernodramatik wurde, in der Strindberg die wesentlichen innovatorischen Impulse für das moderne Drama entwickelte. In den Jahren 1897 bis 1909 entstanden in dichter Folge u. a. die Trilogie *Nach Damaskus* (Till Damaskus; 1898–1901), die Mysterienspiele *Advent* (1899) und *Ostern* (Påsk; 1901), der *Totentanz* (Dödsdansen; 1901), *Ein Traumspiel* (Ett drömspel; 1902), die Romane *Die Gotischen Zimmer* (Götiska rummen; 1904) und *Schwarze Fahnen* (Svarta fanor; 1907), der Zyklus *Kammerspiele* (1907) und das letzte Drama *Die große Landstraße* (Stora landsvägen; 1909), außerdem zwölf historische Dramen und eine kaum übersehbare Zahl kleinerer Prosaarbeiten über die verschiedensten Themen und Gebiete, darunter die Aphorismensammlung der *Blaubücher* (En blå bok I–IV; 1907–12).

Die äußeren Lebensumstände Strindbergs hatten sich nach seiner endgültigen Rückkehr nach Schweden 1899 entscheidend gebessert. Strindberg wurde ruhiger, wechselte nicht mehr so oft die Wohnungen, nahm Anteil am schwedischen Kulturleben. Der letzte vollendete Teil der »Autobiographie«, der unter dem Titel *Einsam* (Ensam, 1903; IV/5, 189 ff.) den Zeitraum von 1899–1900 schildert, zeigt bereits in seinem ruhigeren Erzählstil, der sich vom Infernostil klar absetzt, die relative Sedierung von Strindbergs Psyche.

Im Frühjahr 1900 lernte er die norwegische Schauspielerin Harriet Bosse kennen, die mehrere Hauptrollen in seinen Stükken übernommen hatte; im Jahr darauf ging er mit ihr seine dritte Ehe ein, die durch einen regen Briefwechsel am deutlichsten von den drei Ehen nachvollziehbar wird. In der Ehe kam es bald zu Unstimmigkeiten, die auch durch die Geburt der Tochter Anne-Marie nicht behoben wurden. Im Gegensatz zu seinen früheren Ehen hielt Strindberg jedoch auch nach der Scheidung 1904 die Verbindung mit Harriet Bosse bis 1908 aufrecht: »Das sichtbare Band zwischen uns konnte gelöst werden, das unsichtbare jedoch nicht!« (An Harriet Bosse am 1. 1. 1905.) – »Zuerst lebten wir getrennt, dann ließen wir uns scheiden. Dann nahmen wir die Verbindung wieder auf, und ich wurde ihr Geliebter und bin es noch. Da fragt man sich: Worin habe ich versagt?« (Okk. Tb. 19. 5. 1907.) – »Wir wollen uns nicht treffen, es ist zu quälend. Dieses ewige Abschiednehmen, jetzt im siebten Jahr, habe ich nicht genug gelitten?« (An Harriet Bosse ca. 24. 12. 1907.)

Das Verhältnis zu Harriet Bosse hatte für Strindberg eine stark magische Komponente: er glaubte auch in der Entfernung mit ihr in telepathischem Verkehr zu stehen und konnte sie sich bisweilen halluzinatorisch-erotisch vergegenwärtigen. Strindberg »schwankte zwischen einer Deutung im Sinne des Swedenborgschen Geisterumgangs auf höherer Ebene und den aus der mittelalterlichen Magie und den Hexenprozessen bekannten Vorstellungen von Incubi, bösen Dämonen, die die Schlafenden heimsuchen und fleischlichen Umgang mit ihnen pflegen« (T. Eklund, Okk. Tb., Einleitung.)

Die Obsessionen und Halluzinationen, die Strindberg während der Infernokrise heimgesucht hatten, waren also nach der Jahrhundertwende keineswegs völlig verschwunden. Strindberg hatte sie nur gleichsam unter seine Kontrolle gebracht. Den besten Eindruck von der psychischen Verfassung seiner letzten Lebensjahre vermittelt das sogenannte *Okkulte Tagebuch* vom 21. 2. 1896 bis 11. 7. 1908, dessen erste Teile die zuweilen wortwörtliche Grundlage für *Inferno* und *Legenden* bilden. »Dieses Tagebuch darf niemals veröffentlicht werden«, schrieb Strindberg 1908 auf das Vorsatzblatt des Manuskripts. Kurz vor seinem Tod ordnete er jedoch an, daß das Tagebuch als letzter Teil seiner »autobiographischen« Werke angesehen werden sollte.

Nach mehrjähriger Pause wandte sich Strindberg 1907 wieder dem Drama zu, nachdem er den hochbegabten Regisseur August Falck kennengelernt hatte. Zusammen mit ihm verwirklichte er seinen alten Traum eines Versuchstheaters, dessen Repertoire nur aus Strindberg-Stücken bestehen sollte, ein Repertoire, das Strindberg mit seinem Zyklus Kammerspiele op. 1–4 eigens in rascher Folge ergänzte. Das Theater, unter dem Namen ›Intimes Theater‹ im Herbst 1907 eröffnet – Vorbild waren Max Reinhardts ›Kammerspiele‹ –, wurde ökonomisch kein Erfolg; für die Verbreitung von Strindbergs dramatischem Œuvre in Schweden war es jedoch von Bedeutung. Strindbergs späte Dramaturgie und vor allem seine dramentheoretischen und -praktischen Innovationen um 1907 – etwa in den *Offenen Briefen an das Intime Theater* (VIII/2) – wären ohne die Anregungen aus dem täglichen Kontakt mit dem Regisseur, dem Bühnenbildner und den Schauspielern nicht denkbar. Die äußerst beschränkten technischen Möglichkeiten des Hauses führten zu mancherlei »Notlösungen«, die im Nachhinein vielfach als Vorwegnahmen der Mittel des modernen Theaters interpretierbar sind. Das Theater spielte drei Jahre lang mit wechselndem Erfolg vierundzwanzig Stücke (A. Falck).

Strindberg zog sich jedoch nach einiger Zeit von der aktiven Mitarbeit zurück; er wurde zunehmend depressiver und menschenscheuer. Im Okkulten Tagebuch notierte er am Mittsommertag 1908: »Entsetzliche Tage. So entsetzlich, daß ich aufhöre, sie zu beschreiben! Bitte nur Gott, sterben zu dürfen.« Bezeichnend für seine zunehmende Introvertiertheit und Menschenscheu ist die kurze Antwort auf eine Anfrage von René Schickele, der sich offensichtlich mit Strindberg, inzwischen zum Vorbild der vorexpressionistischen deutschen Literaten geworden, treffen wollte. Strindberg, der unermüdliche, oft ausufernde Briefeschreiber antwortete Schickele: »Intimes Theater ist verschlossen und oeffnet d. 15e. Ich bin nur in meinen Schriften zu treffen, persönlich nicht.« (2. 8. 1908/Dt. Lit. Arch. Marbach.)

Einige Tage zuvor hatte Strindberg seine letzte Wohnung im sogenannten »Blauen Turm« (heute Strindbergmuseum) in Stockholm bezogen. Dort hatte er nur mit einem ausgewählten Kreis Kontakt, u. a. mit der jungen Schauspielerin Fanny Falkner, der er einen Heiratsantrag machte; er nahm jedoch erneut mit zahlreichen journalistischen Arbeiten Anteil an der schwedischen Kulturdebatte. In der sog. Strindbergfehde kämpfte er ein letztes Mal – meist pamphletartig – an verschiedenen Fronten. In der Literatur rechnete er mit den Konkurrenten der neunziger Jahre ab, politisch bekannte er sich zum demokratischen Radikalismus seiner Jugendjahre: zum Anarcho-Syndikalismus. Religiös propagierte er seinen spezifischen Synkretismus mit besonderer christlicher Variante (»Kinderglaube«).

Die Angriffe lösten eine gewaltige Polemik für und wider Strindberg in Tageszeitungen und gedruckten Broschüren aus, wobei Strindbergs isolierte Stellung in der schwedischen Kulturdebatte ständig deutlicher wurde: Die Kritiker qualifizierten seine Kammerspiele einhellig ab, seine Lebensauffassung wurde als primitiv und barbarisch bezeichnet. Es war daher nur »konsequent«, daß Strindberg bei der Vergabe des Nobelpreises übergangen wurde, daß Selma Lagerlöf 1909, mit ihrer ›positiven‹ Einstellung als besserer Repräsentant der schwedischen Literatur angesehen wurde. Aus Protest u. a. gegen diese Verkennung sammelten Anhänger Anfang 1912 als Antinobelpreis eine Nationalgabe von 50 000 Kronen. Am 14. Mai des gleichen Jahres starb Strindberg an Magenkrebs. Den »Abschied vom Leben« hatte er – in Unkenntnis dieser tödlichen Krankheit – bereits 1909 in der Schlußsequenz seines letzten Dramas *Die große Landstraße* als persönliches Bekenntnis formuliert, in dem ein letztes Mal Autobiographisches mit Fiktionalem unentwirrbar ineinander verfließt:

> So bin ich einsam!
> In Nacht und Dunkel! [...]
> Allein? Warum? [...]
> O Ewiger! Ich lasse deine Hand nicht,
> die harte Hand, bis du mich segnest! [...]
> O segne mich, der litt am meisten –
> der litt am meisten unterm Schmerz,
> nicht sein zu können, der er wollte sein! [I/10, 273 ff.]

1. *Briefe:*

   a) Schwedische Ausgaben (vgl. 1.1/12; 1.1/13; 1.1/16; 1.1/17.

   b) Deutsche Ausgaben:
   A. S.: Briefe. München 1956 (in 1.2/5). – Ferner 1.1./14; 1.1/15;
   1.2/1, VIII; 1.2/14; 1.2/15; 1.2/16.

2. *»Autobiographische« Werke, Tagebücher u. ä.* Siehe Tabelle S. 18 f.

3. *Memoirenwerke* (vgl. 4.3.1)

4. *Sekundärliteratur*

   a) *Gesamtdarstellungen:* (vgl. 4.2)

   b) *Einzelaspekte:* (vgl. 4.3.2), außerdem:
   R. *Br[iesemeister]:* Inferno. In: KLL 3, 2513 f. – M. *D[reher]:*
   Le plaidoyer d'un fou. In: KLL 5, 2126–28. - *Th. Lidz:* A. S.
   Eine Untersuchung über die Beziehung zwischen seiner Schöpfer-
   kraft und seiner Schizophrenie. In: Psyche 18 (1964–65), 591 bis
   605. Auch in: Psychopathographien I, Hg. *A. Mitscherlich,* Frank-
   furt 1972, 44–66. – *D. Norrman:* S.'s skilsmässa från Siri von
   Essen. Sth. 1953. - *W. R[ieß]:* Ensam, in: KLL 2, 2140 f. - *R.
   V[olz]:* Tjensteqvinnans son. In: KLL 6, 2736–38.

Originaltitel	Behandelter Zeitraum	Abfassungszeit	Ausgaben
1. Tjänstekvinnans son. En själs utvecklingshistoria (4 Teile):			
(a) Tjänstekvinnans son	1849–67	1886	Sth. 1886
(b) Jäsningstiden	1867–72	1886	Sth. 1886 ⎱ Ss 18–19
(c) I Röda Rummet	1872–75	1886	Sth. 1887
(d) Författaren	1877–87	1886	Sth. 1909
2. Le plaidoyer d'un fou	1875–87	1887–88	Paris 1895 (franz.). Ü. i. Schwed.: Ss 26 Krit. Ausg. Sth. 1978 (franz.)
3. Han och Hon	1. 7. 1875– Juni 1876	»Redaktion« 1886	Sth. 1919 in Ss 55
4a. Klostret	1892–94	1898	vollst. Sth. 1966
b. Karantänmästarns andra berättelse	1892–94	Bearbeitung: 1902	Sth. 1902 in der Nov.slg. Fagervik och Skamsund. – Ss. 37
5. Inferno (franz.)	1894–97	1897	Paris 1898 (schwed. Ü. bereits 1897) Krit. Ausg. Paris 1966 – Ü. ins Schwed.: Ss 28
6. Légendes	1897	1897/[98]	Sth. 1898 (schwed. Ü.). – Paris 1967 (krit.)
7. Ockulta dagboken	21. 2. 1896– 11. 7. 1908	1896–1908	Faksimile Ausg. Stockholm 1977 Auszüge: Ur ockulta Dagboken. Stockholm 1963
8. Ensam	1899–1900	1903	Sth. 1903. – Ss 38

Dt. Übersetzungen	Bemerkungen
Der Sohn einer Magd IV/1 Die Entwicklung einer Seele IV/2	Auktorialer Erzählstil: Hauptfigur Johan (= Strindberg). – Dte. Ausgabe um einige Passagen verkürzt. Veränderungen in der Kapiteleinteilung.
Erste dt. Ü. 1893 (vor der EA); Die Beichte eines Toren IV/3. Plädoyer eines Irren. 1977	Ich-Roman. Ich-Erzähler: Axel (= Strindberg).
Er und Sie VIII/1	Fiktionalisierter Briefwechsel zwischen Strindberg (= Johan) und seiner ersten Frau Siri von Essen (= Maria). Ursprünglich als Teil IV von *Tjänstekvinnans son* gedacht. Dt. Ausgabe enthält Korrespondenz über Plan der Fiktionalisierung des Briefwechsels: »Das ganze erhielte mehr das Aussehen einer ›Dichtung‹, wenn man alle Namen vermeidet.« (9. 8. 86, VIII/1, 241)
Kloster, München 1969 Entzweit IV/5 [Dort auch Fragmentar. »Das Kloster«]	Autobiographische Schilderung der Ehe mit Frida Uhl (Fragment). Fiktionalisierte Fassung von 4a. mit Rahmenhandlung (schwed.). – Dte. Ausgabe ohne Rahmenhandlung als selbst. Teil der »Autobiographie« (autorisiert?).
Inferno. Legenden IV/4	Ich-Berichterstatter. Nicht erkennbar fiktionalisiert. – In der schwed. Ü. nimmt Strindberg Änderungen gegenüber dem franz. Original vor. Franz. und dt. Ausgabe enthalten als »Vorspiel« das Mysterienspiel aus Meister Olof (Versfassung/Nachspiel) in veränderter Form.
Inferno. Legenden IV/4	Fortsetzung von Inferno. Darin das Fragment »Jakob ringt« (Coram populo; Jakob brottas): Strindberg verfaßte die ersten zwei Drittel franz., den Rest schwed.
Auszüge: Okkultes Tagebuch. Die Ehe mit Harriet Bosse. Hg. T. Eklund. Hamburg 1964 (Zeitraum 1900–08)	Bildet teilweise Materialgrundlage für Inferno und Legenden. – Widersprüchliche Äußerungen Strindbergs über mögliche Veröffentlichung (Schlußteil seiner Autobiographie).
Einsam IV/5	Autobiographisches »Ich« berichtet. Nur wenig fiktionalisiert.

2. DRAMEN

2.1. Jugenddramen

Der Freidenker (Fritänkaren; 1869). - *Hermione* (1869). - *In Rom*
(I Rom; 1870). - *Der Friedlose* (Den fredlöse; 1871).

Strindbergs frühe dramatische Produktion – vor dem genialischen Wurf des *Meister Olof* – hat die Forschung bislang
nur wenig beschäftigt, zu Recht wohl, da diesen Stücken im
Gesamtzusammenhang von Strindbergs Œuvre kein hoher Stellenwert zukommt. Trotzdem sind sie als Dokumente für Strindbergs Entwicklung als Dramatiker wichtig und interessant.

Bereits *Der Freidenker,* das erste erhaltene Drama Strindbergs – das interessanteste dieser Gruppe –, bietet rudimentär
und gleichsam katalogartig das Themenarsenal von Strindbergs Dramatik bis zur Jahrhundertwende an. Das Hauptthema »Opposition gegen das Bestehende« wird bereits in der
ersten Replik des Stückes exponiert. Als Sprachrohr für diese
Oppositionshaltung fungiert ein im weiteren Handlungsverlauf
nicht mehr auftretender Student – darin zeigt sich noch
Strindbergs technische Unsicherheit im Dramenbau:

»Die Zukunft gehört uns [...], Kampf gegen die Finsternis [...],
Harnisch der Überzeugung [...], Thorhammer der Wahrheit [...].
Tretet [...] das Muckertum unter die Füße; sendet [...] die
Aufklärung – aus [...], verbrennt [...] die jahrhundertealten Vor-
urteile. Hängt den Fanatismus und die christliche Unduldsamkeit«.

Der »Freidenker« des Stückes ist jedoch nicht dieser Student,
sondern der Idealist Karl, der unter dem Einfluß des amerika-
nischen Religionsphilosophen Theodore Parker ein liberales,
rationales Christentum im Gegensatz zu Orthodoxie, Pietismus
und Atheismus vertritt und sich damit als Sprachrohr Strindbergs ausweist, der in der lebhaften schwedischen Religions-
debatte Ende der sechziger Jahre eben diese Position eingenom-
men hatte. Obwohl also die charakteristischen Schlüsselwörter
für Strindbergs spätere geistige Entwicklung nicht der Hauptfigur Karl in den Mund gelegt werden, so zeigt auch dieser
bereits Grundzüge vieler späterer Strindbergfiguren: Er revol-
tiert als »Freidenker« gegen die bestehende (religiöse) Ord-
nung (Einfluß von Ibsens »Brand«), wird des Atheismus ver-
dächtigt, kommt dadurch in Konflikt zum Elternhaus, besonders zum Vater, bekennt sich zu seinem sozialen Engagement
als Volksschullehrer und wird schließlich von allen, auch von

seiner Braut, fallengelassen: »Es mußte so enden – es konnte keine Versöhnung geben zwischen so feindlichen Mächten. – Vom Vater verflucht, von der Mutter verachtet – meiner bürgerlichen Ehrenrechte verlustig.«

Die schwerfälligen, pathetischen, an Lehrgespräche anmutenden Dialoge lassen das Stück dilettantisch wirken. Als Kunstwerk, so A. Hagsten, ist es »schwach und auch rein literaturhistorisch bedeutungslos«. In der Vorwegnahme von Strindbergs zukünftigem Themenarsenal scheint es jedoch bedeutender als die anderen Frühwerke vor *Meister Olof*. Strindberg gab das Werk 1870 unter dem Pseudonym Härved Ulf und der Bezeichnung »Dramatischer Entwurf« zum Druck. Die Theater lehnten eine Aufführung ab.

Im gleichen Jahr vollendete Strindberg seinen ersten Versuch auf dem Gebiet des historischen Dramas, sein Trauerspiel *Hermione*, das unter dem Titel *Das sinkende Hellas* (Det sjunkande Hellas) vom Königlichen Theater abgewiesen wurde. Das Werk ist »ein lebloses Übungsstück« (S. Rinman) in Blankverse; es erhielt bezeichnenderweise eine Belobigung der Schwedischen Akademie. Sein Akademismus ist als Anpassungsversuch an den Zeitstil zu bewerten.

Lebendiger wirkt der Einakter *In Rom* aus demselben Jahr, der in Form einer Episode aus dem Leben des dänischen Bildhauers Thorvaldsen das Gesellschaft-Künstlerproblem behandelt, zudem wieder den Vater-Sohn-Konflikt andeutet und in Nebenpersonen Strindbergs aggressive Oppositionshaltung erahnen läßt. Das Werk wurde vom Königlichen Theater angenommen und als erstes Strindberg-Drama im September 1870 uraufgeführt, ebenso wie das nächste Werk *Der Friedlose*, das 1871 in Stockholm gespielt wurde.

Dieses einaktige historische Trauerspiel knüpft an die national-romantische Tradition innerhalb Skandinaviens an, die in dem von Strindberg gegründeten Studentenbund Runa besonders gepflegt wurde. In Anlehnung an Werke Oehlenschlägers, Björnsons und Ibsens behandelt Strindberg einen Stoff aus dem Nordischen Mittelalter: Inhaltlich nähert sich das Werk wieder der abrupten, bizarren, pathetischen Art des *Freidenkers*. Der isländische Jarl Thorfinn, eine übermächtige Vaterfigur, repräsentiert das Aufbegehren und die Opposition, hier gegen den neuen Christenglauben, bis sein Widerstand durch eine höhere Macht (»Christus«) gebrochen wird. Man könnte darin – sehr spekulativ – schon eine Vorwegnahme von Strindbergs religiöser Haltung in der Infernokrise und der Nachinfernodramatik sehen: Strindberg und seine dramatischen Konfigurationen als von Gott Verfolgte. – Betrachtet man das Werk im Zusammenhang mit dem etwa gleichzeitig entstandenen Kandidatenaufsatz über (Oehlenschlägers) *Hakon Jarl oder Idealismus und Realismus,* so werden auch die Einflüsse von Kierkegaards Dialektik sowie der Frühschriften von Georg Brandes deutlich, trotz der verschleierten Form des historischen Dramas. Wie im folgenden ersten Meisterwerk *Meister Olof* spricht Strindberg von der Vergangenheit, meint aber die Gegenwart.

Ausgaben:

Sth. 1870–71 + Sth. 1880 (Den fredlöse). – Ss 1 (Ungdomsdramer). – Dramer 1.

Ü:

I/1

Aufführungen:

»I Rom«: Ua Sth. 13. 9. 1870. – »Der Friedlose«: UA Sth. 16. 10. 1871. Dt. EA Berlin 1902.

Literatur:

S. G. Edqvist (4.3.2./11), 44–51. - *A. Hagsten* (4.3.2/14), I, 216–302. - *M. Lamm:* Dramer I (4.5.1/12), 40–80. - *F. Paul:* Idealismus und Realismus. S.'s erste Versuche zu einer dramatischen Theorie (1871 bis 1882). In: Études Germaniques 32 (1977), 365–79. - *S. Rinman* (4.2/17), 34–36.

2.2. *Meister Olof (Mäster Olof) (1872–76)*

Das historische Drama *Meister Olof* ist Strindbergs erstes literarisch bedeutsames Werk. Das Spannungsverhältnis zwischen literarischer Tradition und innovatorischer Haltung verleiht ihm eine einzigartige Stellung in der schwedischen Literatur des neunzehnten Jahrhunderts. Das historische Schauspiel als beliebteste dramatische Gattung schien Strindberg zu Recht am ehesten den Weg zu Erfolg und Anerkennung zu versprechen. Die Pflichtübungen in diesem Genre hatte er mit *Hermione* und *Der Friedlose* bereits absolviert und dabei mit *Hermione* der zur Konvention erstarrten »antiken« Tragödie und mit *Der Friedlose* der epigonalen national-romantischen Tradition (mit einigem Erfolg) nachgeeifert.

Auf den ersten Blick könnte man auch den *Meister Olof* in die hoffnungslos überlebte eklektizistische Tradition der Jambentragödienschreiber einordnen, die das vornaturalistische Drama Schwedens sogut wie Deutschlands prägte: Hatte doch Strindberg – sicher nicht ohne an den potentiellen Erfolg zu denken – das historische Genre, dazu einen nationalen Stoff ersten Ranges, nämlich die Einführung der Reformation durch den schwedischen Reformator Olaus Petri gewählt, so daß von der Interessenlage der Theater und des Publikums eine positive Aufnahme zu erwarten sein sollte. Der Erfolg blieb jedoch zunächst einmal aus, da Strindberg trotz Gattungs- und Stoffwahl den »Erwartungshorizont« seines zeitgenössischen Publikums in vieler Hinsicht überschritten hatte: Die sprachliche Präsentation in natürlicher, lockerer Prosa entsprach den Vorstellungen von einer stets in Versen gehaltenen pathetischen Diktion eines nationalen historischen Dramas (Den Verstoß gegen das »Versgesetz« korrigierte Strindberg später in der dritten geglätteten Fassung des Werkes, s. u.) ebensowenig, wie die von Strindberg in Anlehnung an Shakespeare und an Goethes *Götz* unbekümmert gehandhabte offene Dramenform, die das »jugendlich« Sprunghafte, Bizarre, typisch Strindberghafte des Werks ausmacht. Die Personen des Stückes hatten »kaum mehr gemein mit ihren historischen Entsprechungen (oder mit der zeitgenössischen Auffassung von ihnen) als den Namen« (S. Rinman). Hinzu kam, daß nicht nur die »historische Patina« fehlte, sondern daß das Stück ganz offensichtlich zeitgenössische Probleme und Ereignisse, z. B. die Pariser Kommune, unter dem Deckmantel der Geschichte parabelartig kommentierte. Alle diese von der zeitgenössischen Kritik herausgestellten »Schwächen« des Stücks sind aus heutiger Sicht seine Stärken und bedingen seine Lebensfähigkeit nach mehr als 100 Jahren.

Das Werk liegt in drei verschiedenen jeweils fünfaktigen Fassungen vor. – Zunächst entstand die ursprüngliche Prosafassung von 1872, für die Strindberg keinen Verleger und kein Theater interessieren konnte. Diese Fassung wurde erst 1881 gedruckt und war schließlich Grundlage der Uraufführung im gleichen Jahr. Wegen des mangelnden Erfolgs entschloß sich Strindberg zur Umarbeitung des Stücks, um es den Erwartungen von Publikum und Kritik anzupassen. Es entstand 1874 das sogenannte *Zwischendrama* (Mellandramat), eine in jeder Hinsicht abgeschwächte und daher auch schwächere, sowie verkürzte Version der Prosafassung, die ebenfalls keine Verleger fand und zu Lebzeiten Strindbergs ungedruckt blieb. 1876 schrieb Strindberg das ganze Drama in Knittelverse um und veränderte dabei teilweise die Handlung und das Personal. Auch diese Versfassung wurde von keinem Theater angenommen, Strindberg konnte sie aber 1878 drucken lassen, wobei er sie mit einem desillusionierenden *Nachspiel* (Efterspelet) versah, das als Autor-Kommentar zumindest für die Versfassung sehr wichtig ist.

Die fünfaktige Prosafassung ist äußerlich gekennzeichnet durch zügigen Orts- und Szenenwechsel. In der deutschen Fassung wird dies besonders deutlich, da der Übersetzer (eigenmächtig?) das »Schauspiel in fünf Akten« zu einer »Historie in acht Bildern« verändert und damit, nicht völlig unbegründet, auf die Technik der späteren Stationendramen Bezug nimmt. Im ersten Akt (= 1. Bild) erfährt der von der Kirche enttäuschte Kleriker Olof im Kloster zu Strängnes am Pfingstabend, der zum Vorabend der Reformation wird, eine dreifache reformatorische Berufung: Von dem frommen Mitbruder Lars (»Gottes reine Worte sollen deine Waffen werden«), dem fanatischen Wiedertäufer Gert Buchdrucker (»geistiges Leben und geistige Freiheit«) und vom König Gustav Wasa, der die Reformation aus Gründen der Staatsraison insgeheim duldet, ja fördert. Olof soll als seine rechte Hand nach Stockholm und die durch die Wiedertäufer zum Aufstand angetriebene Bevölkerung beruhigen. Der ethische Konflikt wird im zweiten Akt mit einem menschlichen verknüpft. Olof muß sich im 3. Bild in der Sakristei der Großkirche vor seiner streng katholischen Mutter rechtfertigen – eine Variante wohl des für Strindberg typischen Vater-Sohn-Konflikts – und wird danach aufgrund seiner Begegnung mit Christina, der Tochter Gert Buchdruckers, für dessen Verschwörungspläne gegen den König gewonnen. Vorausgeht als 2. Bild die drastisch-groteske von Shakespeares Wirtshausszenen beeinflußte Bierschenkenszene mit der Fallstaffigur des Windrank, die, obwohl für die Handlung entbehrlich, das Volk als wichtigen Akteur einbezieht. Diesem Volk will der Buchdrucker Gert nicht nur Glaubensfreiheit, sondern politische Freiheit geben, es von der Unterdrückung des Adels und der Willkür des Königs befreien. Olof, der zunächst aufgrund einer Unterhaltung mit dem König (3. Akt = 4. Bild) noch an dessen reformatorische Integrität glaubt, erkennt schließlich, daß der König die Reformation (Enteignung der Kirche) nur für seine Machterweiterung mißbraucht (3. Akt = 5. Bild). Im 4. Akt (= 6. Bild) kulminiert der menschliche Konflikt. Olofs katholische Mutter verflucht den abtrünnigen Sohn auf dem Sterbebett. Und als letztes Wort des Dramas schleudert schließlich Gert Buchdrucker dem Reformator das vernichtende Urteil »Abtrünniger« entgegen, nachdem Olof, an der Verschwörung gegen den König beteiligt und

24

zum Tode verurteilt, seinen Ideen abschwört und begnadigt wird.

Diese polemische Darstellung des schwedischen Reformators als letztlich Gescheiterter, als »Abtrünniger« war sicher Hauptursache für die Ablehnung, die das Stück zunächst erfuhr. Trotz der Glättungen in den folgenden Fassungen, insbesondere in der Versfassung (Strindberg: »Ich habe einiges Nette zusammengeheuchelt«), blieb die in den Schlußworten erkennbare pessimistische Tendenz insgesamt erhalten, ja wird durch das geradezu zynische *Nachspiel* demonstrativ verdeutlicht: Olof, feist und träge geworden, mit einer Pfründe als Pastor primarius, sieht mit seinen Söhnen auf einem Volksfest einem Mysterienspiel »De Creatione et Sententia vera Mundi« zu, in dem Gott als böse Macht und Lucifer der Lichtbringer als gute Macht die Welt lenken, über beiden »Der Ewige (unsichtbar)«, eine Thematik, die bereits auf die Nachinfernodramatik vorausweist. T. Eklund zufolge ist das *Nachspiel* »eine allegorische Umdichtung der Schopenhauerschen Metaphysik«. Er verweist damit nicht nur auf die geistesgeschichtlich via Eduard von Hartmann zu verfolgenden Wurzeln von Strindbergs Pessimismus, sondern auch auf Strindbergs Verfahrensweise, zeitgenössische Ideen und Probleme in sein historisches Drama zu verschmelzen.

Da kaum ein anderes Werk Strindbergs so häufig analysiert wurde – es liegt als einziges in historisch-kritischer Ausgabe mit ausführlichem Kommentar (C. R. Smedmark) vor – sind die geistesgeschichtlichen Bezüge und die zeitgenössischen Korrelationen wohl weitestgehend erforscht, vor allem von C. R. Smedmark und A. Hagsten. Die offene Dramenform mit ihrer lockeren Szenenführung ist offensichtlich von Strindbergs Shakespeare-Lektüre herzuleiten; ebenso die Auffassung des Historischen als Spiegel des Allgemeinmenschlichen, eine Auffassung, die eigentlich dem positivistischen Zeitgeist widersprach und auch nicht mit der naturwissenschaftlich-positivistischen Geschichtsauffassung des englischen Kulturhistorikers Henry Thomas Buckle (1821–1862) in Einklang zu bringen ist, eine Geschichtsauffassung, die Strindberg 1872 während der Abfassung des *Meister Olof* kennenlernte und zunächst ohne größere Modifikationen übernahm. Der Fortschrittsoptimismus à la Buckle wurde durch die Lektüre der frühen Schriften von Georg Brandes (besonders *Emigrantlitteraturen)* verstärkt, ist jedoch mit den »Vorbildern« Kierkegaard und Ibsens *Brand* ebenfalls nicht in volle Übereinstimmung zu bringen; auch nicht mit Parkers religiösem Liberalismus (s. S. 4 u. 20), der in der Religionsauffassung von *Meister Olof* anfänglich noch nachwirkte. Bereits *Meister Olof* weist also, was die geistesgeschichtlichen Einflüsse angeht, auf Strindbergs späteres Verfahren hin: die Übernahme heterogenster Ideen und deren Verschmelzung zu einem einzigartigen homogenen Neuen. Man mag Strindberg in dieser Hinsicht für einen Eklektiker halten, die Umformung und Deformationen inhaltlicher und formaler Art, die das ganze Werk prägen, sind häufig jedoch von hohem innovatorischem Stellenwert.

Bei *Meister Olof* – wie auch später bei anderen Werken – wurde dieser Prozeß zunächst nicht abgeschlossen, wie die weiteren Fassungen zeigen: 1872 hatte Strindberg den neuen Modephilosophen Eduard von Hartmann und dessen pessimistischen Nihilismus kennengelernt; der Weg führte weiter zurück zu Schopenhauer. Der Berufungsgedanke, der vor allem den Beginn der Prosafassung bestimmt, aber auch das vom Deutschen Sturm und Drang, von Goethes *Götz* und Schillers *Räubern* herzuleitende Pathos, werden schon im *Zwischendrama* relativiert, und machen schließlich einer resignativen, pessimistischen Haltung Platz, die am deutlichsten im *Nachspiel* zur Versfassung von 1878 zum Ausdruck kommt. Der Fortschrittsoptimismus (Reformation als politische Reformation) ist einer pessimistischen Haltung gewichen. Der Positivismus ist zwar noch in einer deterministischen Lebensauffassung à la Buckle, Brandes und Taine faßbar, aber ins Negative verkehrt. Man kann in dieser Wandlung auch Reflexe der historischen Entwicklung sehen: Der radikale demokratische Idealismus zu Beginn der siebziger Jahre hatte der Ernüchterung Platz gemacht und das Symbol dieser Hoffnungen, die Pariser Kommune von 1871, hatte nur wenige Monate Bestand gehabt. Ohne Zweifel sind in der Prosafassung des *Meister Olof* besonders in der Gestalt des revolutionären Gert Buchdruckers (S.-G. Edqvist: Bakunin als Vorbild?) deutliche zeitgeschichtliche Anspielungen auf die sozialistische Internationale und die Kommune festzustellen, C. R. Smedmark warnt jedoch zu Recht davor, »Geschehnisse und Repliken mit Details der Geschichte der Pariser Kommune zu parallelisieren«. Strindberg hat weder in diesem Werk noch in späteren historischen Stücken, vielen aktualisierenden Allusionen zum Trotz, ein solch einfaches Verfahren des Parallelismus angewandt.

Auch wenn also die ideengeschichtlichen Bezüge bis in die Einzelheiten entwirrbar und private wie politische Anspielungen dechiffriert werden können, bleibt das Drama in seiner Komplexität erhalten, die Auffassungen von Religion, Reformation, Kulturliberalismus, Fortschrittsoptimismus, Berufungspathos auf der einen und pessimistischer Resignation auf der anderen Seite werden nahezu untrennbar ineinander verflochten; die allmähliche Verlagerung dieser Tendenzen hin zum Pessimismus freilich ist an den drei Fassungen des Werkes deutlich abzulesen. Das Werk, besonders die Prosafassung, markiert einen Wendepunkt in der schwedischen Literatur, indem es in der konsequenten Verwendung der realistischen Alltagsprosa dem naturalistischen Drama den Weg ebnet.

Ausgaben:

Prosafassung: Sth. 1881. - Versfassung: Sth. 1878. - Historisch Kritische Ausgabe: Mäster Olof (Alle Fassungen). Hg. C. R. Smedmark. Bd. 1. Sth. 1947–48 (Text). Bd. 2, 1. Sth. 1957–61 (Kommentar, Bd. 2,2 noch nicht abgeschlossen). - Ferner: Ss 2 (Prosa- und Versfassung). - Dramer 2.

Ü.:

I/11 Prosafassung: 1–142 (mit Streichungen Scherings); Versfassung: 1–103 (getrennte Paginierung nach Prosafassung); Nachspiel: 105 bis 117; Auszüge aus der Zwischenfassung (sog. »Mellandramat«): 137–154.

Aufführungen:

UA Sth. 30. 12. 1881 (Prosafassung). Dt. EA. Berlin 22. 9. 1916.

Literatur:

H. Andersson: Strindbergs Master Olof and Shakespeare. Uppsala 1952. - *V. Børge:* (4.4./3.). - *J. Bulman:* S. and Shakespeare. Shakespeare's Influence on S.'s Historical Drama. London 1933, 50–83. - *S.-G. Edqvist:* (4.3.2./11.), 52–87. - *A. Hagsten:* (4.3.2./14.), 356–513. - *C. A. Helmecke:* (4.4./6.). - *W. Johnson:* S. and the Historical Drama. Seattle 1963, 32–55. - *A. Jolivet:* (4.5.1./10.), 36–74. - *M. Lamm:* Dramer I (4.5.1./12.), 81–176. - *B. Liljestrand:* S.'s Mäster Olof-Dramer. En studie i 1800-talets dramaspråk. I. Mit einer Zusammenfassung auf deutsch. Umeå 1976. - *P. Lindberg:* Tillkomsten av S.'s »Mäster Olof« jämte en undersökning av de två första texterna. Stockholm 1915. - *B. M[eyer]-D[ettum]:* »Mäster Olof«. In: KLL 4, 1802–04. - *H. V. E. Palmblad:* (4.4./11.). - *E. Peukert:* (4.5.1./18.), 18–39. - *S. Rinman:* in NISL (4.2./17.), 37–42. - *C. R. Smedmark:* Mäster Olof och Röda rummet. Stockholm 1952, 37–130. - *G. Vogelweith:* (4.5.1./20.), 29–40.

Das Geheimnis der Gilde (Gillets hemlighet), *Glückspeters Reise* (Lycko-Pers resa), *Frau Margit* (auch: *Ritter Bengts Gattin*) (Herr Bengts hustru).

Nach 1877 hatte sich S. zeitweilig produktiv und rezeptiv ausschließlich mit epischer Literatur beschäftigt; der Roman *Das rote Zimmer* (Röda rummet) (1879) (s. S. 105 f.) bildete den Höhepunkt und Abschluß dieser Phase. Seine ästhetischen Anschauungen während der siebziger Jahre lassen sich in dem einfachen dialektischen Modell »Idealisten kontra Realisten« zusammenfassen, ein Modell, das in dem programmatischen Essay *Über Realismus* (Om realism) (1882) kulminierte.

Die realistische Theorie besteht in einer Aneinanderreihung von Schlagworten, wie sie im Aufsatz über *Hakon Jarl* und in zahlreichen brieflichen Äußerungen der siebziger und achtziger Jahre zu finden sind. Die aphoristische Reihung von Einzelbeobachtungen erinnert zugleich an die spätere Form der *Blaubücher*. Der Gegensatz zwischen Realismus und Idealismus ist wiederum Ausgangspunkt für Strindbergs Überlegungen. Die darauf folgende Definition des Realismus ist merkwürdig unsicher und unpräzise: »Realismus nennt man in allen Künsten jene Richtung, in der der Künstler die von ihm angestrebte Illusion zu erreichen sucht, indem er von den zahlreichen Einzelheiten des Gesamtbildes die wichtigsten ausführt.« Strindberg hält hier noch ganz deutlich am später aufgegebenen Illusionsbegriff fest, wobei die Illusion nur durch Selektion der wichtigsten realistischen Details hervorgerufen wird.

Der trockene, ganz unstrindbergsche Definitionsstil dieser Passage ist wie der gesamte Essay vermutlich auf Zolas *Le naturalisme au théâtre* (1881) zurückzuführen, eine Abhandlung, die Strindberg mit Sicherheit zu dieser Zeit kannte, da er sich wenig später mit Übersetzungsplänen ins Schwedische befaßte. Alle wesentlichen Positionen Zolas finden sich bei Strindberg in nur wenig modifizierer Form wieder: Strindbergs Hinweis auf die Musterfunktion der exakten Wissenschaften für »das neue Geschlecht« korrespondiert mit Zolas Übertragung naturwissenschaftlicher Methoden auf seine naturalistische Dramentheorie. Zolas Antagonismus zwischen Romantikern und Realisten spiegelt sich in Strindbergs Gegensatzpaar Idealisten/Realisten wider, einem unabhängig von Zola bereits zehn Jahre früher entwickelten Denkmodell. Strindberg, der den Vorwurf, »Naturalist« zu sein, als »Ehrentitel« bezeichnet, bekennt sich ausdrücklich zu einer Ästhetik des Häßlichen.

In den kurz vor dem Realismus-Essay entstandenen Dramen dagegen machte er sich unabhängig vom eigenen Programm. *Glückspeters Reise* (1882) steht in der Tradition romantischer Zauber- und Märchenspiele, und in *Das Geheimnis der Gilde* (1880) und *Frau Margit* (1882) verlegt Strindberg die Handlung ins 15. bzw. 16. Jh., genau im Gegensatz zu Zolas Forderungen nach einer Gegenwartsdramatik und dessen totaler Ablehnung jeglicher historischer Dramen. Strindberg fühlte sich zu diesem Zeitpunkt und auch später nie total an seine Programme gebunden, wie er in dem berühmten Essaybrief an das Ehepaar Nyblom vom 24. Januar 1882 schreibt: »Ich will nicht vorwärtsgetrieben und gebunden werden an Händen und Füßen an ein Programm.«

Diese Unabhängigkeit vom programmatischen Anspruch der realistischen und naturalistischen Schriftstellergeneration des *Jungen Schweden* zeigt sich besonders deutlich in dem Märchenspiel *Glückspeters Reise*. Hier habe er, wie Strindberg an Edvard Brandes schreibt (12. Februar 1882), »mit den Flügeln geschlagen und die Brust vollgenommen [...] ohne an die Bühne oder die Direktion zu denken«. Das Ergebnis ist nun keinesfalls ein »reaktionäres« Werk, sondern ein formal äußerst kühnes Beispiel der offenen Dramenform, das in Strindbergs gleichzeitig formulierter Ästhetik überhaupt keine Entsprechung findet, aber mit Sicherheit auf die Formexperimente in der Nachinfernozeit weiterwirkt. Der einzige theoretische Hinweis auf die Bewußtheit solcher Experimente ist Strindbergs mehrfache briefliche Anregung, Jacobsens Roman *Frau Marie Grubbe* von 1876 zu dramatisieren, und der Entwurf dieser Dramatisierung. Daran zeigt sich bereits das Aufbrechen der Gattungsgrenzen, das durch Strindbergs spätere Episierung des Dramas vollendet wurde, eine Tendenz, die in *Glückpeters Reise* ebenfalls deutlich wird. Die Formalästhetik dieses Stücks hat Strindberg zu dieser Zeit nicht programmatisch formuliert. Dies bedeutet jedoch keinesfalls, daß sie nicht einem hohen Grad von Bewußtheit entspricht. Da jedoch jegliche kommentierende Theorie seitens Strindberg fehlt, muß diese aus der experimentellen Struktur des Stückes selbst genommen werden. Denn »die dramatische Kleinform der Szene«, so R. Volz, »erhält als Medium der repräsentierten Erlebnispartikel grundlegende kompositorische Bedeutung«.

Die Grundstrukturen, nämlich die offene Dramenform und das epische Thema des Wanderns durch die Welt, sind ohne Zweifel von Ibsens *Peer Gynt* (1867) und Oehlenschlägers *Aladdin* (1805) mitgeprägt worden. Diese Strukturen und zahlreiche andere Innovationen sind aber deutliche Vorstufen der experimentellen Dramatik der Nachinfernozeit, so daß dieses Stück gleichsam als Prototyp aller späteren episierenden Dramatik erscheint. Die epische Grundstruktur wird nicht nur durch das Weg- und Wanderthema bestimmt, sondern durch nahezu sämtliche Versatzstücke der späteren episierenden Technik. Wie die Personen in *Ein Traumspiel* durch den Träumer und in *Gespenstersonate* durch den Direktor Hummel wird auch Glückspeter durch epische Figuren geleitet. Die deiktische Funktion dieser Figuren wird besonders im Ersten Akt, Szene 5 deutlich, in dem die gute Fee dem Glückspeter die Welt in verschiedenen Bildern und Szenen »vorführt«, eine epische Situation, die inhaltlich zwar aus dem Märchenspiel herrührt, formal jedoch kühn in den Bereich des epischen Dramas vorstößt. Strindberg läßt zu diesem Zweck den Hintergrund transparent werden und nimmt damit die epischen Einblendungen und Projektionsversuche der späteren Stücke, etwa von Böcklins Toteninsel in *Gespenstersonate,* vorweg. Die Ablösung des herkömmlichen Charakterdramas ist ebenfalls schon vorgezeichnet und das Stück bringt bereits das ganze *Typen*arsenal der späteren Ich-Dramatik: Den Ersten und Zweiten Freund, den Advokaten, Bittsteller usw., entpersonalisierte Figuren ohne Namen, die nur noch funktionale Aufgaben haben und eine erste Rückwendung zum Typendrama der Zeit vor der französischen Klassik signalisieren, bzw. die Entwicklung zum Typendrama des modernen expressionistischen, surrealen und absurden Theaters vorwegnehmen. Im Realismus-Essay von 1882/83 ist eine solche Entwicklung immerhin angedeutet, wenn Strindberg, ganz im Gegensatz zu herkömmlichen Auffassungen von der Dominanz des sich entwickelnden Charakters in der Dichtkunst, davon spricht, daß die Figuren des Dichters zunächst »als Typen« konzipiert waren. Selbst die Identität der Hauptfiguren ist, wie in der späteren Dramatik, nicht mehr gesichert, die spätere Depersonalisierung bereits vorweggenommen: Im Dritten Akt, Szene 9 zeigt sich bei der Alten und Lieschen eine doppelte Identität, im Fünften Akt, Szene 4 sieht Per seinen eigenen Schatten reden und agieren. – Man könnte diese Szenen allein aus dem Genre und der alogischen Situiertheit des Märchenspiels erklären, wären sie nicht Prototypen für eine nahezu identische Verfahrensweise in der späteren Dramatik.

Eine weitere Vorwegnahme späterer dramatischer Mittel ist Strindbergs deiktische Verwendung der Musik durch exaktes Vorschreiben bestimmter Musikstücke und durch den Einschub von Musiknoten in den Text, eine Praxis, die sich in zahlreichen Stücken der Nachinfernozeit wiederfindet. Das Repertoire epischer Versatzstücke korrespondiert mit der virtuos gehandhabten offenen Dramenform, deren rasanter Szenenwechsel von G. Ollén recht zutreffend als »filmisch« bezeichnet und damit wieder in den experimentellen epischen Zusammenhang verwiesen worden ist.

Wenn *Glückspeters Reise* thematisch auch außerhalb von Strindbergs realistischer Theorie und Ästhetik der frühen achtziger Jahre angesiedelt ist, so zeigt sein ganz formaler Apparat doch ein experimentelles Gepräge, wie kein anderes Stück vorher und bis zur eigentlichen Ausformulierung einer neuen Dramentheorie am Ende der achtziger Jahre im Gefolge der sog. naturalistischen Stücke von 1887–89.

Ausgaben:

a) *Über Realismus* (Om Realism). Ss 17, 191 ff. Ü: Kesting-Arpe, 35 ff. (gekürzt).
b) *Gillets hemlighet:* Sth. 1880. - Ss 9. - Dramer 1. - Ü: Das Geheimnis der Gilde I/2. - *Herr Bengts hustru:* Sth. 1882. - Ss 9. - Dramer 3. - Ü: Frau Margit (Ritter Bengts Gattin) I/2. - *Lycko-Pers resa:* Sth. 1882. - Ss 9. - Dramer 2. - Ü: Glückspeter I/2.

Aufführungen:

»Das Geheimnis der Gilde«: UA Sth. 3. 5. 1880. Dt. EA Berlin 23. 1. 1903. - »Glückspeters Reise«: UA. Sth. 22. 12. 1883. Dt. EA Frankfurt 1921. - »Frau Margit«: UA. Sth. 25. 11. 1882. Dt. EA Köln 12. 5. 1908.

Literatur:

zu a) *F. Paul:* »Idealismus und Realismus. S. s. erste Versuche zu einer dramatischen Theorie (1871–1882).« In: Études Germaniques 32 (1977), 365–79.
zu b) *Hortenbach* (4.5.1/8), 20–26 (Frau Margit). - *Jolivet* (4.5.1/10), 86–104. - *Lamm*, Dramer I (4.5.1/12), 197–231. - *Ollén* (schwed. Ausg. 4.5.1/15), 38–46. - *R. Volz:* (4.5.1/22), (»Glückspeters Reise«).

2.4. Naturalistische Dramen

2.4.1. Der Vater (Fadren) (1887)

Strindberg schrieb das »Trauerspiel in drei Akten« *Der Vater* (Fadren) in der Nähe von Lindau im Bodensee im Februar 1887 innerhalb von wenigen Wochen auf dem Höhepunkt einer Ehekrise. Der psychologische Klärungsprozeß, der durch die Niederschrift der »Autobiographie« *Sohn einer Magd* (Tjänstevinnans son) 1886 (s. S. 8) beendet war, führte Strindberg nach jahrelanger Pause zum Drama zurück. Schon Anfang 1886 berichtete er Geijerstam von »zwei Aktenmappen voll mit Plänen für Theaterstücke [...]« (20. 1. 86), und ein Jahr später konnte er ihm mitteilen: »Ich arbeite jetzt für das Theater [...] Das Theater ist eine Waffe [...] Es ist viel leichter, Theaterstücke zu verfassen als Romane, man muß nur die Kniffe kennen [...] Ein Theaterstück verlangt keinen Poeten [...]« (4. 1. 87).

Im August 1886 hatte er bereits die Komödie *Marodöre* (Morodörer) verfaßt, gedacht als Parodie auf Ibsens *Ein Puppenheim (Nora)*: der unterjochte Mann verläßt seine Frau Bertha (später als Figur in *Der Vater*, s. u.). Das farcenartige Stück wurde nur in einem einzigen Exemplar gedruckt (1886) und kam erst 1888 nach einer Umarbeitung durch Strindbergs Freund Axel Lundegård unter dem Titel *Kameraden* (Kamraterna) (I/3) heraus. Strindberg zufolge soll das Werk als inhaltliche Fortsetzung von *Der Vater* und als zweiter Teil einer geplanten Trilogie aufzufassen sein. Man rechnet das Werk zu Strindbergs naturalistischer Dramatik, wobei freilich der Naturalismusbegriff ebenso fragwürdig ist wie im nachfolgenden Stück *Der Vater*.

Strindberg wollte in dieser neuen dramatischen Produktionsphase vor allem die in der »Autobiographie« verkündeten neuen psychologischen Einsichten auch in dramatischer Form reflektieren. Beeindruckt von der sogenannten Suggestionspsychologie (Bernheim und die sogenannte Nancyschule) übernahm er den Schlüsselbegriff des »Seelenmordes«, der in vielen Briefen um 1886/87, aber auch in einem 1887 geschriebenen Essay über Ibsens *Rosmersholm* (Ss 22. – Kesting-Arpe 67 ff.) verwendet wird: Ibsen habe »unbewußt« das Phänomen des »modernen Seelenmordes« berührt. Hinzu kam die Idee vom »Kampf der Gehirne«: durch Suggestion siege das stärkere Gehirn über das schwächere (Vivisektioner, 1887, gedruckt 1890. Ss 22. – Deutscher Auszug: Kesting-Arpe 66).

Neben diesen psychologischen Studien befaßte sich Strindberg auch mit soziologischen Fragestellungen, die sich in sein vorgeprägtes Bild vom »Geschlechterkampf« einfügten. Wichtig wurde dabei ein Aufsatz des Soziologen Lafargue von 1886 über das Matriarchat. Diese (sozial-)psychologischen Erkenntnisse brachte Strindberg in Verbindung mit seiner Lektüre von Schopenhauer und Eduard von Hartmann in seine pessimistische Weltanschauung ein (vgl. Vogelweith). Es ist typisch für Strindbergs Verfahrensweise, daß er diese heterogenen Elemente im *Vater* und auch in der Dramatik der folgenden Jahre unter jeweils neuen thematischen Aspekten zur Einheit fügen konnte. In einem Brief an seinen Verleger Österling vom 22. 1. 88 werden Strindbergs Absichten gleichsam katalogartig zusammengefaßt: »*Der Vater* ist das moderne Trauerspiel [...] weil der Streit zwischen den Seelen vor sich geht, ›Kampf der Gehirne‹, nicht mit Dolch und Preiselbeersaft wie in den *Räubern*. Die jungen Franzosen suchen noch die Formel, aber ich habe sie gefunden!«

Der letzte Satz zielt auf die Debatte über das naturalistische Drama in Frankreich, die mit Zolas *Le naturalisme au Théâtre* (1881) ihren Höhepunkt erreicht hatte. Strindberg hatte diese Schrift 1883 gelesen und die damit verbundene Diskussion über »la nouvelle formule« verfolgt. Auch wenn Strindberg im Zusammenhang mit dem *Vater* (zu Recht) den Begriff Naturalismus vermeidet, so sollte das Stück doch wohl ein Beitrag zu dieser Debatte sein. Schon in seinem Essay *Über Realismus* (Om realism) von 1882 (Ss 17. – Kesting-Arpe 30 ff.) hatte er die Bezichtigung, »Naturalist« zu sein, als »Ehrentitel« reklamiert. Es war daher nur konsequent, daß er das neue Drama *Der Vater* in einer von ihm selbst hergestellten französischen Übersetzung an Zola als die kompetenteste Autorität mit einem recht devoten Brief vom 29. 8. 87 sandte: Das Werk sei »im Hinblick auf Ihre experimentelle Formel« entworfen, wobei die »innere Handlung« auf »Kosten des Theatertricks« hervorgehoben sei. Strindberg hoffte, wie zahlreiche Briefe bezeugen, auf Zolas Empfehlung an das soeben eröffnete ›Théâtre libre‹ von André Antoine. Zolas Antwort, die Strindberg in der französischen Ausgabe (*Père*, 1888) als Vorwort drucken ließ, enthält neben positiven Wendungen auch eine Kritik aus der Sicht des Naturalisten, die in ihrem Kernpunkt gerade diejenigen innovatorischen Bestandteile des Stücks angreift, die auf die moderne Dramatik des 20. Jh.s vorwegweisen: Die »Abstraktionen« und die Vorwegnahme des Typentheaters (»namenloser Rittmeister«), sowie der Mangel an »bürgerlicher Art«. Bezeichnenderweise hat Nietzsche diese Fehleinschätzung Zolas scharfsinnig erkannt: Die Vorrede Zolas enthalte »lauter unbezahlbare Naivitäten. Daß Z. nicht ›für die Abstraktion‹ ist [...] Typen nicht von ›êtres de raison‹ auseinander zu halten weiß! Daß er den état civil complet für die Tragödie verlangt!« (Brief an Strindberg vom 27. 11. 88.)

Strindbergs Drama *Der Vater* scheint freilich auf den ersten Blick in der Nachfolge des bürgerlichen Familiendramas zu stehen, ja eine naturalistische Variante desselben zu sein. Die Vorschriften der aristotelischen Dramenpoetik, bzw. was man im 19. Jh. dafür hielt, vor allem die drei Einheiten, versprechen ebenfalls die Wahrung der Gattungstradition: Der Schauplatz ist auf einen Raum beschränkt, die Handlung spielt in weniger als 24 Stunden. Tatsächlich aber bewirkt das Stück auf verschiedenen Ebenen die Auflösung der klassischen Dramenstruktur, deren Beachtung die Naturalisten so dringend forderten. Es war daher nur zu berechtigt, wenn C. Dahlström bereits 1930 in »Strindbergs Dramatic Expressionism« seine Skepsis über die Anwendung des Naturalismusbegriffs mit der Wendung »The so-called naturalistic Dramas« zum Ausdruck brachte und dies später mehrfach bestätigte, eine Auffassung, die heute (von Brandell bis Szondi) allgemein geteilt wird. H. Lunin rechnet zu Beginn seiner eindrucksvollen Analyse des Stücks dieses noch »zu den bahnbrechenden Manifesten des dramatischen Naturalismus«, am Ende konstatiert er die »Überwindung des vergeblichen (naturalistischen) Stils« aufgrund zahlreicher Innovationen, die bereits die Vorwegnahme von Strindbergs späteren strukturellen Neuerungen im Drama bedeuten: Auflösung der einheitlichen Fabel, ambivalente Strukturierung der dramatis personae (d. h. »Zersetzung« der sogenannten klassischen Charaktere), Aufhebung der Tragik (Strindberg am 23. 12. 87: »Weder als Tragödie noch als Komödie, sondern irgendwie dazwischen.«), Hinwendung von der »technischen« zur psychologischen Handlungsführung, totale Monoperspektivik des Stückes, begründet u. a. durch die starke autobiographische Komponente, Elemente der Episierung.

Die monoperspektivische Konzeption des Stückes fällt unmittelbar ins Auge: Der Zuschauer oder Leser erfährt an Fakten nicht mehr, als der namenlose Rittmeister weiß oder erfährt (auch nicht in den Szenen, in denen der Rittmeister nicht auftritt), und auch das scheinbar Faktische ist ständig relativierbar: »Man weiß nie etwas, man glaubt nur« (so der Rittmeister in Akt III/Sz. 5). Diese Relativierung des Faktischen wird durch die Thematik des Stücks noch verstärkt, eine Thematik, die in der autobiographischen Schrift *Le plaidoyer d'un fou* (Die Beichte eines Toren) (1887–88) ins Epische variiert wird. Die stoffliche Affinität des Dramas zum Roman und dessen Bewältigung mit Hilfe einer im Vergleich zu Ibsen freilich »gebrochenen« analytischen Technik wird darin sichtbar.

Um das Hauptthema des Stücks: »Zweifel an der Vaterschaft« gruppieren sich die anderen stark autobiographisch bestimmten Themen: Streit um die Erziehung der Tochter, Haß auf die Frauen, Geschlechterkampf, psychischer Defekt (Irrenhaus). – Bereits in der ersten Szene ist das Hauptthema an einer Nebenfigur meisterhaft exponiert: Der Knecht weigert sich, die von ihm (vermutlich) geschwängerte Magd zu heiraten, weil man doch nie sicher wissen könne, ob man tatsächlich der Vater des Kindes sei. Diese Zweifel, die übrigens Strindbergs sexualpathologische Krisen bestimmten, erfassen nun den Rittmeister, der sich (wie Strindberg) mit wissenschaftlichen Experimenten befaßt. Beim Streit um die Erziehung der Tochter Berta greift dessen Frau Laura diese Zweifel als Kampfmittel auf: Der Geschlechterkampf ist zugleich ein »Kampf der Gehirne«. Der Zuschauer erfährt dabei ebensowenig wie der Rittmeister absolut schlüssig, ob die Tochter tatsächlich sein legitimes Kind ist. Die Frau, ebenfalls ein »offener« Charakter, treibt jedenfalls mit Hilfe des Vaterschaftszweifels den Rittmeister in den »Wahnsinn«, ein Wahnsinn, der freilich nie ganz geklärt wird, zumal auch der in die Intrige verwickelte Arzt Zweifel an der Diagnose beläßt. Symbolisch legt am Ende die alte Amme des Rittmeisters, eine Mutterfigur, der einzige »geschlossene« Charakter, diesem die Zwangsjacke um, eine in jeder Hinsicht abschließende Geste: die Frauen, von denen er sich bedrängt fühlt, haben ihn nun endgültig überwältigt, wobei die Amme (»Mutter«), der er am meisten noch vertraut hatte, den Überwältigungsakt vollzieht. Mit einem Schlaganfall des Rittmeisters endet das Stück halb offen. Der Untergang des Rittmeisters wird – paradigmatisch für das ganze Stück –, so P. Szondi, »durch seine magisch-psychoanalytische Identifizierung« mit Kindheitserinnerungen »gleichsam zum innerseelischen Vorgang«.

Obwohl das Stück von der Monoperspektivik des Rittmeisters her konzipiert ist, also der naturalistischen Norm der auktorialen Objektivität zuwiderläuft, ist auch diese Monoperspektive voll von beunruhigenden Brechungen, die dem an zeitgenössische klassische Dramenfiguren gewöhnten Leser und Zuschauer rätselhaft bleiben mußten. Denn die Perspektive des Rittmeisters wird nicht aus einem sogenannten »Charakter« entwickelt, sondern aus einer Type. Man sucht bei dieser Figur, so Dahlström (in SS 30, 1958) vergebens nach Charakter und Individualität, da Strindberg den positivistischen wissenschaftlichen Determinismus auf seine Figuren übertrug (Fehlen von freiem Willen, Individualität und Verantwortlichkeit) und damit zu ihrer Depersonalisierung beitrug (vgl. Strindberg über den »Indeterminismus« mit anderen Konsequenzen: Auflösung aller Begriffe. Brief vom 12. 11. 1887). Strindberg hat dies einige Jahre später (1894) in einem Essay *Der Charakter eine Rolle?* (Le Charactere un Rôle?) (*Vivisektioner* [II], Stockholm 1958. - Kesting-Arpe 77–81 [Auszug]) theoretisch begründet: Es gebe keinen einheitlichen Charakter, sondern nur den »Charakter der Umstände [...] mit provisorischen Meinungen, Apropos-Einfällen, Gefühlen für jede Gelegenheit«. Diese Einsichten, übertragen auf die entindividualisierte Rolle des Vaters (dagegen Ollén: »Rolle [...] individuell geformt.«), erlauben auch eine psychoanalytische Deutung dieser Figur als Archetypus und damit eine literaturpsychologische Erklärung der Mann-Frau-Konstellation durch den Unterwerfungsakt (C. R. Lyons: Hercules/Omphale; Adam/Eva; Samson/Delilah).

Das Stück, so B. Jacobs resümierend, kombiniere konventionelle dramatische Charakterisierung mit einem essentiellen nicht-dramatischen Element. Aus dieser Vorwegnahme moderner Dramenstrukturen freilich (wie Jacobs) zu folgern, *Der Vater* sei »nie ein gutes Stück« gewesen, hieße die (falsche) Elle einer konventionellen aristotelischen Gattungspoetik anlegen, die Strindbergs Besonderheiten kaum Rechnung trägt.

Ausgaben:

Fadren. Sorgespel i tre akter. Helsingborg 1887. - Ss 23. - Dramer 3. - Französische Ü: Père. Helsingborg-Paris 1888. - (Mit einem Brief von Zola als Vorwort.)

Ü:

I/3 (und viele andere).

Aufführungen:

UA: Kopenhagen 14. 11. 1887. - Deutsche EA: Berlin 12. 12. 1890.

Literatur:

G. Brandell: »Sorgespelet Fadren«. In: ders.: Drama i tre avsnitt. Sth. 1971, S. 151–98. - *C. E. W. L. Dahlström* (4.5.1/4), 92 ff. - *Ders.:* »Is S.'s ›Fadren‹ Naturalistic?« In: SS 15 (1938–39), 257–65. - »S.'s ›Fadren‹ as an Expressionistic Drama«. In: SS 16 (1940–41), 83–94. - »S.'s ›The Father‹ as Tragedy«. In: SS 27 (1955), 45–63. - »S. and Naturalistic Tragedy«. In: SS 30 (1958), 1–18. - *K. A. Friou:* (4.5.2.1/4). - *R. Fritze:* S.s »Vater«. Leipzig 1916. - *J. Hortenbach* (4.5.1/8), 64–80. - *B. Jacobs:* »›Psychic Murder‹ and Characterization in S.s ›The Father‹«. In: Scandinavica 8 (1969), 19–34. - *Ders.:* »S.s ›The Father‹«. In: Edda 72 (1972), 145–56. - *A. Jolivet:* (4.5.1/10), 144 bis 160. - *F. S. Klaf:* (4.5.1/11). - *KLL:* »Fadren«. In: KLL 2, 2651 f. - *M. Lamm:* S.'s dramer. I (4.5.1/12), 264–301. - *H. Lunin:* (4.5.1/13), 7–55. - *C. R. Lyons:* »The Archetypal Action of Male Submission in S.'s The Father«. In: SS 36 (1964), 218–232. - *B. G. Madsen:* (4.5.2.1 /7). - *I. E. Normann:* »Faderen og Rosmersholm«. In: Edda 52 (1952), 166–172. - *G. Ollén* (schwed. Ausg. 4.5.1/15), 50–62. - *P. Szondi:* (4.5.1/19), 41 ff. – *G. Vogelweith:* (4.5.1./20), 59–78.

2.4.2. *Fräulein Julie (Fröken Julie) (1888)*

Strindberg hatte im Herbst 1887 seinen Wohnsitz von Deutschland nach Dänemark verlegt, in der Hoffnung, daß seine Dramen in Kopenhagen aufgeführt würden. Im Sommer 1888 schrieb er auf dem heruntergekommenen Gutshof »Skovlyst« den Einakter *Fräulein Julie. Ein naturalistisches Trauerspiel,* in dem die Atmosphäre dieses Herrenhofs reflektiert wurde (später im Roman *Tschandala* [1889; s. S. 111] thematisch!). Das wichtige Vorwort zu Fräulein Julie verfaßte Strindberg *nach* Abschluß des Werkes.

Für das Stück samt Vorwort gab es lange keine befriedigende Textgestalt, da im Druckmanuskript für die Erstausgabe Streichungen vom Verleger Seligmann (nachdem Bonnier es als zu »naturalistisch« abgelehnt hatte) und vom Autor vorgenommen wurden (H. Bergholz). Erst 1963 erschien eine kritische Ausgabe von G. Lindström (zugleich Textgrundlage für die Dramenedition von Smedmark (1.2/5), eine darauf basierende deutsche Übersetzung fehlt.

Während die Zuordnung des Trauerspiels *Der Vater* zum Naturalismus zu Recht umstritten ist, läßt der authentische Untertitel »Ein naturalistisches Trauerspiel« keinen Zweifel daran, daß Strindberg zumindest einen Beitrag zur Naturalismusdebatte beabsichtigte, wie dies auch aus einem Brief vom 10. 8. 1888 an seinen Verleger deutlich wird: »Hiermit nehme ich mir die Freiheit, das erste naturalistische Trauerspiel der Schwedischen Dramatik anzubieten [. . .] dieses Stück wird in die Annalen eingehen [...] *Fräulein Julie* ist Nr. 1 in einer kommenden Serie naturalistischer Trauerspiele.«

C. W. Dahlström hat in einer ganzen Serie von Aufsätzen (in SS 1940–45) anhand von Zolas Naturalismusbegriff den Nachweis versucht, daß Strindbergs Stück nicht ausdrücklich naturalistisch sei. Trotz überzeugender Beobachtungen über zweifellos vorhandene antinaturalistische Züge, ist die als Arbeitshypothese zugrunde gelegte starre katalogartige naturalistische Norm sicher problematisch und für einen bizarren, undoktrinären Geist wie Strindberg dazu noch ungeeignet und unangemessen. Die Struktur des Werks ist jedenfalls, wie L. Josephson in seiner großangelegten Analyse zeigt, und wie auch Strindberg in den Begründungen seines Vorworts ausführt, stark naturalistisch geprägt – im Gegensatz etwa zum *Vater*.

Das Werk ist nicht mehr monoperspektivisch aus der Sicht einer Figur her konzipiert, sondern polyperspektivisch. Im Zusammenhang mit Strindbergs etwas später formulierter Theorie des Einakters (*Über modernes Drama und Theater*, 1889, s. S. 46) ist die extreme Konzentrierung in diesem Stück zu sehen. Die Personenzahl wird – abgesehen von dem pantomimisch agierenden »Volk« – auf 3 reduziert, Spielzeit (ca. 1¹/₂ Std.) und dargestellte Zeit (ca. 5 Std.) nähern sich einander, sind freilich nicht, wie frühere Interpreten (u. a. Lamm) meinten, identisch. Die Einheit des Orts – Schauplatz: die »Küche des Grafen« – ist wie im *Vater* präzise nach den (dramaturgisch recht konservativen) Vorschriften des Naturalismus gewahrt. Das Personenverzeichnis bringt naturalistisch exakte Berufs- und Altersangaben: Fräulein Julie, 25 Jahre; Jean, Bedienter, 30 Jahre; Kristin, Köchin, 35 Jahre.

Die für Strindberg nahezu archetypische Konfrontation Unterklasse – Oberklasse ist durch diese Grundkonstellation bereits thematisch vorgegeben, da Strindberg die aktuellen darwinistischen Vorstellungen vom Sieg des unverbrauchten frischen Blutes der Unterklasse über die degenerierten, überfeinerten »Nervenmenschen« der Oberklasse teilte. Bereits in der ersten, meisterhaften Replik des Stückes – die ein halbes analytisches Drama ersetzt – wird diese Grundkonstellation deutlich. Der Diener Jean, Vertreter der Unterklasse, betritt die Küche (Ort der Unterklasse) mit den Reitstiefeln des im Stück nicht auftretenden, aber stets gegenwärtigen Grafen (wichtigstes Dingsymbol) und berichtet der Köchin Christel, seiner »Verlobten«: »Heute abend ist Fräulein Julie wieder verrückt; vollständig verrückt.«

Mit »heute abend« wird die Zeit, nämlich die Mitsommernacht, und damit die konzentrierte Spielzeit exponiert, mit *Fräulein Julie* die Hauptfigur vorgestellt, und das »wieder verrückt« deutet auf einen auf dem Herrenhof offensichtlich allseits bekannten debilen psychischen Zustand der Hauptfigur hin. Dieser hat sich, wie der Verlauf des Gesprächs ergibt, seit der Auflösung der Verlobung des Fräuleins vor vierzehn Tagen verstärkt. Das Fräulein hatte den Verlobten über eine Reitgerte springen lassen wie einen Hund, um ihn, wie sie später gesteht, aus Männerhaß zum »Sklaven« zu machen. Aus dieser psychologischen Grundsituation entwickelt sich das Drama: Fräulein Julie betritt die Bedientenküche, um ein Abtreibungsmittel für ihre reinrassige Hündin abzuholen, die sich mit dem »Mops vom Pförtnerhaus« eingelassen hat, eine bildhafte Vorwegnahme der kommenden Vorgänge. In einem Gespräch mit Julie spricht der Bediente Jean vom »Verdacht« der Leute, weil sich das Fräulein zu sehr mit ihm abgebe, und nimmt damit – als Reflex von Strindbergs »Suggestionspsychologie« – ebenfalls das »Ergebnis« vorweg.

Um dem Gerede der Leute zu entgehen, verstecken sich die beiden in der Kammer des Dieners, als eine ausgelassene Schar ihr Mittsommertreiben für kurze Zeit in die Küche verlegt. Diese pantomimische Chor-Ballett-Szene gliedert das Stück in zwei Teile und ist zugleich dessen Peripetie: Fräulein Julie gibt sich während dieser Szene im Nebenzimmer dem Domestiken hin. Das »Königsblut« hat sich, so Julie später, unerträglich erniedrigt (Strindberg: »Sodomie«). Für Jean indes – dies ergibt der folgende zentrale Dialog des Stückes – wäre eine Heirat mit der »Domestikenmätresse« und »Lakaiendirne« Julie nur noch eine Mesalliance. Er ist, so Strindberg in seinem Vorwort, als Angehöriger eines neuen Geschlechts der eigentliche Aristokrat. Trotzdem werden nun Fluchtpläne in die Schweiz geschmiedet. Fräulein Julie begründet ihr exaltiertes Wesen in einer breitangelegten Erinnerungsszene (Züge zum analytischen Drama!) mit der falschen Erziehung durch eine überemanzipierte Mutter, die sie nur »Mißtrauen und Haß gegen den Mann« und »Verachtung gegen das eigene Geschlecht« gelehrt habe und aus ihr »Halbweib und Halbmann« zugleich gemacht habe.

Fräulein Julie entwendet schließlich das Geld für die Reise aus dem Schreibtisch ihres Vaters. Die (für den Zuschauer unsichtbare) Rückkehr des Grafen von einer Mittsommernachtsfeier lähmt jedoch alle weiteren Entschlüsse. Dem Diener Jean sitzt – bedingt allein durch die Stimme des Grafen – erneut

»der Knecht [...] im Rücken«. Julie sieht nur einen Ausweg. In einer Art hypnotischer Suggestion soll ihr Jean den entscheidenden »Befehl« geben. Auf seine Anordnung nimmt sie das Rasiermesser und geht – die Sonne ist eben aufgegangen – hinaus (Reminiszenz an das Sonnensymbol am Ende von Ibsens »Gespenster«!).

Der Stückschluß ist äußerlich offen, Strindbergs Gattungsbeziehung »Trauerspiel«, die Szenenanweisung »geht *entschlossen* zur Tür hinaus« und seine Kommentare über »Fräulein Julies trauriges Geschick« lassen jedoch keine Zweifel an der Durchführung ihres Suizids. Edvard Brandes, der das Drama im übrigen enthusiastisch begrüßte, zweifelte nach der Lektüre des Manuskripts an der Notwendigkeit des Selbstmords (»Der Schluß ist Romantik«) und bezweifelte dessen Begründung durch die Suggestionspsychologie. Strindberg entgegnete auf diese Kritik am 4. 10. 88: »Der Schluß ist nicht romantisch, im Gegenteil, ganz modern mit *wacher* Hypnose (Kampf der Gehirne)«, und in einer vom Verleger gestrichenen Passage des Vorworts (H. Lindström) verweist Strindberg auf das Phänomen des Mesmerismus. Über kein anderes Stück Strindbergs besitzen wir einen so ausführlichen Autorenkommentar wie über *Fräulein Julie* durch das Vorwort. Strindberg ist sich der Abweichungen von den formalen Forderungen des Naturalismus voll bewußt, wenn er die Verwendung von Monolog, Pantomime und Ballett verteidigt, er verweist aber auch mit seinen antinaturalistischen Forderungen an die Dekoration (»Impressionismus«, »Asymmetrie«) und seiner Ablehnung des »Ausstattungsluxus« auf die Abstraktionsbühne der Nachinfernodramatik. In diesen Punkten hat *Fräulein Julie* den Naturalismus bereits hinter sich gelassen. Die Begründungen des Vorworts für Motive und Charaktere, die in den Briefen oft identisch, aber konzentrierter wiederkehren, wollen dagegen den psychologischen und gesellschaftskritischen Forderungen des Naturalismus entsprechen. Die Figuren sind »als moderne Charaktere entworfen, in all ihrer Unsicherheit und Zerrissenheit, zusammengesetzt aus Altem und Neuem, als Figuren einer Übergangszeit, die rascher und hysterischer dahinlebt als die vorhergegangene«.

Fräulein Julie, als »Halbweib«, »Männerhasserin« (H. Borland verweist zu Recht auf Nietzsches »vermännlichtes Weib« als Vorbild und Parallele), »Überbleibsel der alten Kriegerkaste« ist »ein Opfer der Disharmonie«, der »Umstände«, die Strindberg im einzelnen naturalistisch exakt wie nach einem Katalog der Vererbungs- und Milieutheorien beschreibt:

».... die Grundanlage der Mutter, die falsche Erziehung durch den Vater, das eigene Naturell und die Einwirkungen des Verlobten auf ihr schwaches, degeneriertes Gehirn. Weiter die festliche Stimmung in der Mittsommernacht, die Abwesenheit des Vaters, ihre Menstruation, die Beschäftigung mit Tieren, der erregende Einfluß des Tages, das Dämmerlicht der Nacht, die starke aphrodisische Wirkung der Blumen und schließlich der Zufall, der beide zusammen in ein entlegenes Zimmer treibt, sowie die Zudringlichkeit des aufgereizten Mannes.«

Dieser berühmte, durchaus plausible Katalog von Motiven ist eine unentbehrliche Interpretationsgrundlage für das Stück, da er dort artifiziell durchgeführt im einzelnen wieder erscheint. In einem Brief an Georg Brandes vom 4. 12. 1888 hat Strindberg die ideengeschichtlichen Hintergründe für diese Motivkette deutlicher als im Vorwort erläutert:

»›Der Todhaß‹ der Geschlechter [...] ist auch in diesem Stück vorhanden, aber hier kommt der bewußte Widerwille der minderwertigen Art hinzu sich fortzupflanzen (vgl. Schopenhauer über Päderastie), der schwächliche Wille zum Leben [...] der Unwille der Mutter zum Beischlaf [...]. Das Ende ist richtig motiviert: die Unlust zu leben, das Sehnen nach dem Ende des Geschlechts im letzten schlechten Individuum, das Adelsgefühl der Schande über die Sodomie mit einer niederen Art [...]. Eigentümlich, daß ich nun durch Nietzsche das System in meiner Verrücktheit finde, ›gegen alles zu opponieren‹.«

Auch die Domestikenfiguren Jean und Kristin sind psychologisch und soziologisch genau motiviert: Jean als »zwiespältiger, unentschiedener« Charakter auf dem Weg von der Unterklasse zur neuen Oberklasse, schwankend zwischen Aristokraten- und »Dienermentalität«, und Kristin schließlich, eine »Sklavin, unselbständig und stumpfsinnig, verdorben am Herdfeuer, vollgepfropft mit Moral und Religion«. Strindberg nennt sie eine »Nebenfigur« und begründet an ihr – noch unbewußt? – seinen zukünftigen Weg vom »Charakter«- zum »Typentheater«, als Antwort, wie S. Ahlström meint, auf Zolas Kritik am *Vater*.

Der Naturalismus habe den Begriff der Schuld ausgetilgt, sagt Strindberg weiter im Vorwort. Es sind daher bereits hier – wie in Strindbergs späterer Dramatik – die »Mächte«, die über den Gang der Dinge befinden, und, da die freie Willensbestimmung fehlt, jegliche »Schuld« ausschalten. Das Sprachrohr und die Glocke als Verbindungselemente zwischen »unten« und »oben«, also bis zum Grafen als der höheren Macht, sind bereits Vorläufer der für Strindberg später so typischen Abstraktionen. Die »Freiwilligkeit« von Fräulein Julies Tod, bereits gebrochen durch die von ihr geforderte »wache« Hypnose, ist daher nur noch als widerwillige Befolgung klassischer Tragödienregeln zu interpretieren, die von der inneren Struktur her nicht mehr gerechtfertigt ist. Denn die Vorwegnahme Freuds im sado-masochistischen Ritual des Endes kollidiert letztlich, so E. Springchorn, mit dem traditionellen Wunsch nach Katharsis (ähnlich G. Vogelweith).

Man sieht: Die Deutungsmöglichkeiten des Dramas sind, trotz Strindbergs klarer Aussagen, mit der formalen, literatursoziologischen und geistesgeschichtlichen Analyse nicht erschöpft. Die Charakterdeutung und die Analyse der komplexen Vorgänge führt weit in das (unsichere) Gebiet der Literaturpsychologie hinein. Da Strindberg, trotz des naturalistischen Anspruchs, vor allem psychische Vorgänge schildern wollte, sind diese spekulativen Deutungsversuche sicher vielversprechend und legitim.

Als Strindberg *Fräulein Julie* schrieb, schwebte ihm als Aufführungsort ein Experimentiertheater nach dem Muster von André Antoines avantgardistischem Théâtre Libre in Paris vor. Strindberg entwickelte ab 1887 und verstärkte ab Herbst 1888 den Plan eines eigenen skandinavischen Versuchstheaters, dessen Repertoire vor allem aus Strindbergstücken bestehen sollte. Im Rahmen dieses skandinavischen Versuchstheaters in Kopenhagen sollte im März 1889 *Fräulein Julie* uraufgeführt werden, da das Stück seiner »Unsittlichkeit« wegen (dieses Urteil stützte sich auf Autoritäten wie Björnson) an keinem anderen Theater angenommen worden war. Die geplante Uraufführung wurde von der Zensur verboten. Als Ausweg wählte man eine geschlossene Vorstellung des Studentenvereins in Kopenhagen am 14. 3. 1889 mit Strindbergs Frau Siri von Essen in der Titelrolle. Nach der ersten öffentlichen Vorstellung durch die ›Freie Bühne‹ in Berlin am 3. 4. 92 und einer sensationellen Aufführung durch das Théâtre Libre am 16. 1. 93 wurde es zunächst still um das avantgardistische Stück, bis es kurz nach der Jahrhundertwende (1904) von Max Reinhardt neuentdeckt wurde und im gleichen Jahr, 16 Jahre nach der Entstehung, in Schweden endlich erstaufgeführt wurde, in einer geschlossenen (!) Vorstellung.

Ausgaben:

Fröken Julie. Ett naturalistiskt sorgespel. Sth. 1888. - Ss 23. - Dramer 3 (krit.).

Ü:

I/4. - (und viele andere).

Aufführungen:

UA Kopenhagen 14. 3. 1889. - Deutsche EA: 3. 4. 1892.

Literatur:

S. Ahlström: (4.3.2/1), 108–110 (ü. »Vorwort«). - *S. Arrestad:* »Ibsen, S. and Naturalist Tragedy«. In: Theatre Annual 24 (1969), 6–13. - *H. Bergholz:* »Toward an Authentic Text of S.'s ›Fröken Julie‹«. In: Orbis Litterarum 9 (1954), 167–92. - *Ders.:* »›Miss Julia‹: S.'s Response to J. P. Jacobsen's ›Fru Marie Grubbe‹«. In: Scandinavica 11 (1972), 13–19. - *H. Borland:* (4.4/4), 40–42 (ü. »Vorwort«). - *C. E. W. L. Dahlström:* (4.5.1/4), 102 ff. - *Ders.:* »S.'s ›Naturalistiska sorgespel‹ and Zola's naturalism.« In: SS 17 (1942/43), 269–81, 18 (1944/45), 14–36, 41–60, 98–114, 138–155, 183–194. - *P. Fraenkl:* »S. og Fröken Julie«. In: Nordisk Tidskrift 39 (1963), 337–342. - *C.-O. Gierow:* »Pantomimen i Fröken Julie«. In: Perspektiv på Fröken Julie, 85–92. - *M. Gravier:* »Le Théâtre Naturaliste des S. Reálité et Poésie.« In: Réalisme et Poésie au Théâtre. Paris 1960, 99–117. - *H. Järv:* »Den ›karaktärslösa‹ fröken Julie.« In: Perspektiv på Fröken Julie, 43–54. - *J. Hortenbach:* (4.5.1/8), 81–90. - *A. Jolivet:* (4.5.1/10), 161–172. - *L. Josephson:* S.'s drama fröken Julie. Sth. 1965. - *KLL:* Fröken Julie. In: KLL 3, 318–20. - *M. Lamm:* S.'s dramer I (4.5.1/12), 301–330. - *U.-B. Lagerroth* u. *G. Lindström* (Hg.): Perspektiv på Fröken Julie. Dokument och studier. Sth. 1972. - *H. Lindström:* (4.3.2/22). - *E. Springchorn:* »Julie's End.« In: 4.1/8, 19–27. - *E. Törnqvist:* »S.'s syn på Fröken Julie.« In: Värld och vetande (Göteborg) 25 (1976), 97–112. - *G. Vogelweith:* (4.5.1/20), 79–86.

2.4.3. Gläubiger (Fordringsägare) (1888)

Bereits 1887 (22. 12.) hatte Strindberg an seinen Verleger Bonnier geschrieben, daß ihn keine ephemeren politischen oder sozialen Fragen mehr lockten, er hoffe vielmehr, eine »artistisch, psychologische Schriftstellerei« in Gang zu setzen. Während in *Fräulein Julie* entgegen diesem Plan die soziale Frage

(Oberklasse/Unterklasse) immerhin noch ein wesentliches strukturbildendes Motiv ist, entspricht die kurz danach verfaßte einaktige »Tragikomödie« *Gläubiger* (Fordringsägare) genau diesen Prämissen: Die »neue Formel« der psychologischen Literatur ist hier völlig auf die Suggestionspsychologie und den Kampf der Gehirne reduziert. »Das neue naturalistische Trauerspiel«, so Strindberg am 21. 8. 88 an Bonnier, sei »noch besser als Fräulein Julie, mit 3 Personen, einem Tisch, zwei Stühlen, und ohne Sonnenaufgang«.

Tatsächlich ist dieses Werk noch stärker konzentriert und stilisiert als *Fräulein Julie,* es verliert jedoch gegenüber diesem Stück an Allgemeingültigkeit durch die starke autobiographische Komponente und die extreme Anhäufung typisch Strindbergischer Themen und Motive: Kampf der Geschlechter und Gehirne, verwerfliche Emanzipation der Frau, Eifersucht des Mannes usw.

Strindberg hatte für das Stück nahezu wortwörtliche Anleihen aus der bereits fertiggestellten aber noch unveröffentlichten *Beichte eines Toren* (Le plaidoyer d'un fou) (vgl. S. 7) genommen. Die Grundsituation des Stückes – eine Frau zwischen ihrem geschiedenen und gegenwärtigen Mann – war rein autobiographisch und schilderte die Krisensituation seiner Ehe mit Siri von Essen. (Gustav wie in *Beichte eines Toren* = Carl Gustav Wrangel; der Maler Adolf = Strindberg; die »Schriftstellerin« Thekla = Siri von Essen). Der Titel (ebenfalls aus *Beichte eines Toren*) verweist auf die menschlichen »Schulden« der Frau gegenüber ihren beiden Ehemännern (= Gläubigern). Das Stück besteht, streng symmetrisch, aus drei aufeinander folgenden Dialogszenen, die gleichsam leitmotivisch mit den Begriffen Haß und Eifersucht, Gehirn und Gedanken das Thema »Seelenmord« behandeln.

Im ersten stark analytischen Teil wird der Maler Adolf das Opfer der Suggestionspsychologie seines alten Jugendfreundes Gustav (unerkannt zugleich der erste Ehemann seiner Frau Thekla): Dieser redet ihm ein, daß er an beginnender Epilepsie leide, ein Sterbender sei, und daß ihm die Frau seine »Seele gefressen« habe (Vampirmotiv). Im zweiten Teil werden im Gespräch zwischen Adolf und Thekla diese Suggestionen aufbereitet und vertieft, das dritte Gespräch zwischen Thekla und ihrem geschiedenen Mann Gustav hört Adolf im Nebenraum mit und wird dadurch zum Zusammenbruch getrieben: Am Ende erscheint er mit »weißem Schaum um den Mund« und bricht tot zusammen.

Abgesehen von der unwahrscheinlichen Suggerierung einer tödlichen Krankheit fesselt das Stück durch seine atmosphärische Dichte und die extreme Stilisierung der Personen, die bereits dem Typenarsenal der Nachinfernodramatik entstammen könnten, vor allem die »polyandrische Frau«, ein weiblicher Kannibal, ein Vampir, der in einer Atmosphäre des Entsetzens sein Werk des »Ausweidens«, »Saugens«, »Betäubens« verrichtet. Strindberg schrieb über das Werk an seinen Verleger am 29. 9. 88: »Die Handlung ist ja so spannend, wie ein Seelenmord nur sein kann, die Analyse und die Motivierung erschöpfend, der Gesichtspunkt unparteiisch deterministisch.« Mit *Gläubiger* hatte Strindberg seinen ersten großen Erfolg als Dramatiker im europäischen Ausland (M. Lamm). Es wurde als naturalistisches Drama par excellence angesehen, eine Einordnung, die angesichts der starken Stilisierung sicher problematisch ist, aber wohl Strindbergs modifizierter Naturalismusvorstellung entsprach, wie sie in einem Brief an Verner von Heidenstamm – als Antwort auf dessen antinaturalistische Programmschrift *Renässans* (»Schuhmacherrealismus«) – vom Oktober 1889 präzise dargelegt ist: »Ich glaube, daß man Zolaismus [Zola *Le naturalisme au théâtre* (1881)] und Naturalismus sehr genau voneinander unterscheiden muß.«

Ausgaben:

Kbh. 1889 (dän. u. dt. Tit.: »Creditorer«). - Sth. 1890 (schwed., in: Tryckt och otryckt I). - Ss 23. - Dramer 3.

Ü:

I/4.

Aufführungen:

UA Kopenhagen 9. 3. 1889. - Dt. EA Berlin 22. 1. 1893.

Literatur:

Hortenbach (4.5.1/8), 122–129. - *Jolivet* (4.5.1/10), 173–183. - *W. Johnson:* »Creditors Reexamined.« In: MD 5 (1962/63), 281–290. - *Lamm:* Dramer I (4.5.1/12), 330–348. - *Ollén* (schwed. A. 4.5.1/15), 74–79.

2.4.4. Naturalismustheorie und Theorie des Einakters (1889)

Die These vom modifizierten Naturalismus bildete auch das Kernstück der wichtigen Programmschrift von 1889 *Über modernes Drama und modernes Theater* (Om modernt drama och modern teater) (dt. auch unter dem Titel *Der Einakter*), die zugleich eine Theorie des Einakters ist, retrospektiv von *Fräulein Julie* und prospektiv bis zu den Experimentalstücken von 1888/89 *Paria*, *Die Stärkere* (Den starkare) und *Samum*.

Die Schrift enthält zwei zentrale Passagen über die »neue Formel«, das neue Drama, die am Beispiel des französischen Theaters, insbesondere des Théâtre Libre exemplifiziert werden:

1. Die Polemik gegen den »mißverstandenen Naturalismus, der glaubt, die Kunst bestände nur aus der Kopie der Natur«. Im Gegensatz dazu: »das neue psychologische Drama«.
2. Die These, »daß jedes Stück eigentlich nur wegen einer einzigen Szene geschrieben« sei.

Aus dieser Konsequenz ergibt sich für Strindberg die Forderung nach dem Einakter mit reduziertem Personal, bescheidener Ausstattung (»Nur mit Hilfe eines Tisches und zweier Stühle konnte man die stärksten Konflikte darstellen«; vgl. *Gläubiger*) und dem »bedeutungsvollen Motiv« (im Gegensatz zum Intrigenstück) »Leben und Tod«, »Geburt und Sterben«, »Kampf zwischen Ehegatten«.

Aus diesen Überlegungen heraus fordert Strindberg radikal weitere Reduktionen bis zu einer einzigen Szene von einer Viertelstunde, einem »Quart d'heure«, in dem er den »Typ des Theaterstücks für den heutigen Menschen« sieht. Diese hier geforderten extremen Reduktionen, die in den Einaktern *Fräulein Julie* und *Gläubiger* erst partiell geleistet waren, versuchte Strindberg in einer Reihe von Stücken Ende 1889 durchzuführen, Stücke, die dramentechnisch formal in gewisser Weise Höhepunkt und Abschluß der naturalistischen Experimente bilden.

Dieser Essay, vielleicht Strindbergs stringenteste literaturtheoretische Arbeit, ist aufgrund seiner Praxisnähe daher nicht nur von literarhistorischem Interesse; er bietet vielmehr neben den historischen Aspekten einen fortlaufenden Kommentar »seiner eigenen dramatischen Entwicklung der Jahre 1887 bis 1889« (B. G. Madsen).

Ausgaben:

In: Ny Jord (Zeitschrift), Kopenhagen 1889. - Ss 17.

I/4 (»Der Einakter«). - Kestin-Arpe, 38–56.

Literatur:

B. Gedsø Madsen (4.5.2.1/6) und (4.5.2.1/7).

2.4.5. »Naturalistische« Experimente 1889

Die Stärkere (Den starkare), Paria, Samum

Wie fast immer bei Strindberg ist die theoretische Beschäftigung mit einem ihm neuen Genre von praktisch-biographischen Gegebenheiten nicht recht zu trennen. Mitte November 1888 tauchte bei ihm – wie es scheint unvermittelt – die Idee auf, ein eigenes skandinavisches Versuchstheater nach dem Vorbild des Théâtre Libre im dänischen Holte zu gründen. Seinem Gefolgsmann Gustaf af Geijerstam teilte er am 15. November 1888 mit, er habe am Tag zuvor das skandinavische Versuchstheater »aus folgenden originellen und listigen Gründen« gegründet: Das Repertoire könne er mit zwei eigenen modernen Trauerspielen fürs Abonnement beginnen. Die Rollen seien für seine Frau (Siri von Essen) geschrieben. Das Theater werde in einem Hotelsaal in Holte von Amateuren jeweils einmal im Monat am Sonntag auf Abonnementsbasis betrieben und später auf Gastspielreisen in die skandinavischen Hauptstädte, aber nicht nach Stockholm, geschickt. Außer seiner Frau brauche er nur noch drei Personen: einen älteren Herrn, einen dekadenten Jüngling ([Typ Ibsens] Oswald) und eine ältere Frau. Der Weg zum Typentheater ist in diesen reduzierten Personalforderungen bereits deutlich markiert. Strindberg verfolgte den neuen Plan – wie nahezu hundert Briefe bezeugen – nahezu monoman bis in den März 1889. Wegen des mangelnden Erfolgs (es kam nur zu einigen Aufführungen) erlahmte Strindbergs Interesse danach ganz plötzlich.

Zuvor, von Januar bis März 1889 verfaßte Strindberg drei Einakter für das Repertoire des projektierten Theaters, allesamt kurze 15-Minuten-Szenen: Das Monodrama *Die Stärkere,* das Duodrama *Paria* und das Dreipersonenstück *Samum.*

Die extremste Reduzierung und Stilisierung zeigt das Stück *Die Stärkere,* in dem zwar zwei Personen auftreten, aber nur eine davon in einer Sprechrolle. Strindberg wollte hier wieder den sogenannten »Kampf der Gehirne« dramatisieren, eine Idee, die auch im Einakter *Paria* und in dem gleichzeitig entstandenen kleinen Roman *Tschandala* im Mittelpunkt steht, und neben psychologischen Studien auch mit seiner Poe-Lektüre in Zusammenhang zu bringen ist. Das Spannungsverhältnis zwischen Sprechrolle und stummer Rolle, die äußerlich monodramatische Struktur, eignete sich offensichtlich am besten, um die geheimnisvollen Gehirnströme, die Übertragung von Denken und Wollen zwischen zwei Personen darstellbar und evident zu machen. Es scheint so, als ob hier erstmals ein neuer monodramatischer Typus kreiert worden wäre. Die »Repliken« der schweigenden Stärkeren in Strindbergs »Quart d'heure« sind zum einen als Reflexe im Monolog der sprechenden Figur zu erkennen, zum anderen aber als vom Autor exakt vorgeschriebene pantomimische Äußerungen vom Zuschauer direkt erfaßbar: sie »nickt«, zeigt eine »verächtliche Miene«, macht Gesten »des Erschreckens«, schaut »ironisch und neugierig«, »lacht laut« und »hell«, fixiert die Dialogpartnerin »neugierig«, »macht eine Miene als wolle sie sprechen« usw.

Dem Leser des Stücks werden die Zusammenhänge durch diese – für ihn epischen – Regieanweisungen rasch deutlich, dem Zuschauer kann nur die pantomimische Transponierung, also hohe Schauspielkunst, die verkappte dialogische Struktur und deren Inhalt offenlegen. Dabei ist völlig klar, daß hier durchaus eine das Drama kennzeichnende zwischenmenschliche Kommunikation stattfindet, die eben nicht, wie gewöhnlich, allein durch Sprache, sondern durch Sprache und Pantomime erfolgt.

Die Stärkere ist im Grunde genommen, und darauf wurde mehrfach hingewiesen, die extreme Reduzierung eines mehraktigen analytischen Dramas, in dem die Sekundärhandlung als »Unterlage für die Analyse der primären dient« (P. Szondi). Die epische Grundstruktur ist im übrigen ganz offensichtlich, da ja die monologisierende Frau X einen ganzen Roman über ihre Ehe und deren Krisen erzählt. Die daraus resultierende analytische Dramenstruktur ist sowohl offen monodramatisch wie verkappt dialogisch, so daß gerade bei diesem Experiment das Neue in der Diskrepanz zwischen äußerer und innerer Struktur liegt, daß ein Monodrama geschaffen wurde, das nichts anderes ist, als verkappte Dialogie, wie wir sie auch in dem Quart d'heure *Paria* aus derselben Entstehungszeit vorfinden.

Die beiden Hauptfiguren dieses Einakters, den Strindberg, nach einer Novelle von Ola Hansson schrieb, sind bezeichnenderweise genauso anonyme Unpersonen wie die beiden Schauspielerinnen in *Die Stärkere*, sie heißen nur Herr X und Herr Y, der eine von Beruf Archäologe, der andere Insektenforscher. Auch sie fördern in ihrem kurzen analytischen Dialog Vergangenes zutage; ein Abgrund von Verbrechen wird für einen Augenblick sichtbar (ebenso die Folgen von Strindbergs Poe-Lektüre), und auch hier gibt es einen »Stärkeren«, der am Ende den »Kampf der Gehirne« gewinnt. Die unzweideutige Parallelität der Konstruktion beider Stücke wird daraus ersichtlich.

Etwas konventioneller ist das im arabischen Milieu spielende Dreipersonenstück *Samum*, in dem die mit Namen versehenen Figuren noch nicht wie in den beiden vorhergehenden Stücken auch durch die Bezeichnungen X/Y völlig depersonalisiert sind. Inhalt und Tendenz des Werks werden durch einen Brief an Ola Hansson vom 10. 3. 89 analytisch völlig klar: »Ich habe soeben einen brillanten Edgar-Poe-er mit dem Titel Samum [Wüstenwind in der Sahara] (in einem Akt natürlich) geschrieben, in dem ich die Macht des Wüstenwinds verwendet habe, Schreckvisionen hervorzurufen, die französische Soldaten zum Selbstmord treiben.«

Ausgaben:

»Den starkare« in Tryckt och otryckt II Sth. 1890; Ss 25; Dramer 4. - Ü: Die Stärkere I/4. - »Paria« und »Samum«: in Tryckt och otryckt I Sth. 1890; Ss 23; Dramer 4. – Ü: I/4.

Aufführungen:

»Die Stärkere«: UA Kopenhagen 9. 3. 1889. Dt. EA Berlin 22. 1. 1893. - »Paria«: UA Kopenhagen 9. 3. 1889. Dt. EA Berlin 1900. - »Samum«: UA Sth. 25. 3. 1890. - Dt. EA Breslau 1905.

Literatur:

M. Lamm: S.'s dramer I (4.5.1/12), 350–365. - *H. Lunin* (4.5.1/13), 49–51. - *F. Paul:* »Im Grenzbereich der Gattungen. S.'s monodramatische Experimente.« In: Akten des V. Internationalen Germanistenkongresses in Cambridge 1975. H. 3. Bern 1976, 384–400. - *Ders.:* »S. og monodramaet.« In: Edda 76 (1976), 283–295. - *P. Szondi* (4.5.1/19), 45 f. - *E. Törnqvist:* »S.'s The Stronger.« In: SS 42 (1970), 297–308. - *Ders.:* »Monodrama/Term and Reality.« In: Essays on drama and theatre. Liber Amicorum Benjamin Hunningher. Amsterdam 1973, 145–158, bes. 147 f.

Obwohl drei Jahre später entstanden, knüpft der in wenigen Monaten des Jahres 1892 entstandene Zyklus von Einaktern direkt an die experimentelle Phase von 1889 und an die inhaltlichen und formalen Forderungen an, wie sie in dem Essay *Über modernes Drama und modernes Theater* aufgestellt worden waren. Strindberg hatte in der Zwischenzeit zwei völlig andersgeartete Stücke vollendet, die beide auf unterschiedliche Weise die Episierung des Dramas der Nachinfernozeit vorbereiten: Die bereits 1889 vollendete vieraktige Dramatisierung des Romans *Die Leute auf Hemsö (Die Inselbauern)* (Hemsöborna) (s. S. 110) und das Märchenspiel in sieben Bildern *Die Schlüssel des Himmelreichs* (Himmelrikets nycklar) von 1892, in dem die epische Grundstruktur bereits durch das Weg- und Wandermotiv vorgegeben ist, auch wenn noch nicht die virtuos gehandhabte Technik der späteren Wanderungsdramen erreicht wird.

Strindberg wollte mit diesen beiden – relativ schwachen – Stücken den Erfolg auf dem Theater erzwingen, der für die Experimentalstücke ausblieb. Es ist bezeichnend für diese wie auch spätere Produktionsphasen, daß Strindberg mühelos nahezu gleichzeitig an völlig verschiedenen Gattungen mit unterschiedlichen dramatischen Techniken arbeiten konnte, wie *Die Schlüssel des Himmelreichs* und der kurz danach in Angriff genommene Zyklus von sechs Einaktern von 1892 beweisen: *Erste Warnung* (Första varningen) (Komödie), *Debet und Credit* (Debet och kredit), *Vorm Tode* (Inför döden) (Trauerspiel), *Mutterliebe* (Moderskärlek), *Mit dem Feuer spielen* (Leka med elden) (Komödie) und *Das Band* (Bandet) (Trauerspiel).

Die meist dem »Quart d'heure« sich nähernden Stücke haben mit den experimentellen Werken von 1889 jenen eigenartigen Strindbergschen psychologischen »Naturalismus« gemein, der ständig die Grenzen zum Surrealen und Absurden tangiert, aber noch nicht – wie in der Nachinfernozeit – überschreitet. Die Gattungsgrenzen sind merkwürdig fließend, ja es zeigt sich, daß die konventionellen Gattungsbezeichnungen längst fragwürdig geworden sind: Die Komödien sind weder komisch noch lustig, sie zeigen allenfalls einen Schimmer von Strindbergs grimmigem Humor; die Trauerspiele, ohne »steigende« und »fallende« Handlung, sind nicht eigentlich tragisch, sie enden, wie *Das Band*, nicht einmal mit dem Tod eines Beteiligten, sondern völlig offen. Bei allen Stücken handelt es sich um die extrem konzentrierte dramatische Bearbeitung eines im Grund genommenen epischen Entwurfs, der Strindbergs Ästhetik folgend auf eine Kernszene reduziert ist. Der »Roman«, der der Handlung eigentlich zugrunde liegt, scheint in bizarren Dialogfetzen auf, so daß er puzzleartig zusammengesetzt werden kann, wie etwa die Lebensgeschichte des gescheiterten schweizerischen Pensionsinhabers Durand in *Vorm Tode,* der nach dem lebenslangen Kampf mit einer vampirartigen Frau für die drei unbarmherzigen Töchter (Lear-Thema) das Leben gibt. Strindberg gelingen dabei ans Absurde grenzende Schilderungen: Der alte Vater etwa, der aus Hunger das Futter der Katze und den Käse aus der Mausefalle ißt, paraphrasiert das Strindbergsche Leitmotiv des Hasses: »Sag doch etwas Boshaftes, das ist für mich, als hörte ich Musik, bekannte Töne von der alten guten Zeit.«

In diesem wie in den anderen Stücken sind die bereits bekannten Grundthemen erneut mehr oder minder variiert: Kampf der Geschlechter, Hysterie, seelische Defekte, Kampf der Gehirne, Eifersucht, Scheidung, Kindererziehung, Geldsorgen. Der konkrete autobiographische Hintergrund ist oft nur wenig verhüllt (z. B. die mehrfache Verwendung des Vornamens Axel = Strindberg) und zeigt letztendlich bereits die Ablösung des Naturalismus durch die Ich-Dramatik. Sehr deutlich wird dies in dem wohl gewichtigsten Einakter des Zyklus' *Das Band* (G. Vogelweith: »le maître mot de la psychologie strindbergienne«), einer nahezu absurden Gerichtsszene, in der Strindberg die Scheidung von Siri von Essen reflektiert. Die Szene zeigt den völlig depersonalisierten, von fremden »Mächten« gelenkten Menschen ohne freien Willen und ohne Möglichkeit der Entscheidung: »Es ist, als ob wir ins Mühlwerk hineingezogen worden [...] wären: Und alle diese boshaften Menschen stehen da und sehen uns an.« Aus dem Typenarsenal ragen hervor: Der Richter, der Pastor, der Baron, die Freifrau. Die beiden letzteren haben sich über ihre Scheidung und die Erziehung ihres Kindes geeignet. Eine groteske Rechtsmaschinerie führt jedoch dazu, daß sich beide Ehepartner vor Gericht gegenseitig völlig bloßstellen und daß ihnen das Sorgerecht für das Kind entzogen wird. Der Schlußdialog zwischen den Ehepartnern bringt wiederum mehrere Vorwegnahmen der Nachinfernothematik, u. a. das von Schopenhauers Mitleid bestimmte Leitmotiv »Es ist schade um uns beide« (Im *Traumspiel:* »Es ist schade um die Menschen«), das Ringen mit einem unnahbaren Gott (Jakobskampf) und das Wandern des unbehausten Menschen auf der Landstraße (*Die große Landstraße,* vgl. S. 97), wie dies in der letzten Replik der Freifrau leitmotivisch wiederkehrt: »Ich werde auf Straßen und in Wäldern umherziehen, um mich zu verstecken und schreien zu können; mich müde schreien gegen Gott, der diese Höllenliebe in die Welt kommen ließ, um die Menschen zu peinigen.« Man bewertete, so M. Lamm, *Das Band* oft als das bedeutendste naturalistische Drama Strindbergs, eine zeittypische Auffassung, die durch Strindbergs eigenen Naturalismusbegriff durchaus gedeckt ist und im Formalen (Gerichts»protokoll«) auch dem französischen Naturalismus entspricht, im übrigen aber für dieses wie die anderen Werke des Zyklus aus der literaturhistorischen Perspektive stark relativiert werden muß.

Ausgaben:

In Dramatik Sth. 1893 (Inför döden. - Första varningen. - Debet och kredit. - Moderskärlek).
Tryckt och otryckt IV, Sth. 1897 (Leka med elden. - Bandet) (beide Werke zuvor in deutscher Ü. in Dramen 2, Bln. 1893). Alle Werke in: Ss 25. - Dramer 4.

Ü:

I/4.

Aufführungen:

»Die erste Warnung«: UA Berlin 22. 1. 1893. Schwed. EA: 1907.
»Debet und Kredit«: UA Berlin 13. 5. 1900. Schwed. EA: Sth. 31. 8. 1915.
»Vorm Tode«: UA Berlin 22. 1. 1893. Schwed. EA: 1907.
»Mutterliebe«: UA 1894 (Tourneetheater). Schwed. EA Uppsala 1909.
»Mit dem Feuer spielen«: UA Berlin Dez. 1893. Schwed. EA 1907.
»Das Band«: UA Berlin 11. 3. 1902. Schwed. EA Sth. 31. 1. 1908.

Literatur:

Jolivet (4.5.1/10), 201–207. - *Lamm:* Dramer I (4.5.1/12), 390–412. - *Lunin* (4.5.1/13), 51–54 (Das Band). - *B. Gedsø Madsen:* »Naturalism in Transition: S.'s ›Cynical‹ Tragedy, The Bond (1892).« In: MD 5 (1962/63), 291–98. - *B. M[eyer]-D[ettum]:* Bandet. In: KLL 1, 1309 f. - *Ollén* (schwed. Ausg. 4.5.1/15), 95–108. - *Vogelweith* (4.5.1/20), 99–105 (Das Band).

2.5. Nachinfernodramatik

2.5.1. Nach Damaskus I–III (Till Damaskus I–III) (1898–1901)

Nach sechsjähriger Pause wandte sich Strindberg 1898 wieder dem Drama zu. Die psychosomatischen Erfahrungen der »Infernokrise« und die zweite Ehe mit der Österreicherin Frida Uhl waren bereits in den autobiographischen Bekenntnisbüchern *Inferno* und *Legenden* literarisiert worden.

Diese autopsychoanalytische Umsetzung der Infernokrise in Literatur, die seelische Katharsis durch Schreiben setzte Strindberg mit dem Dramenzyklus *Nach Damaskus* fort, dem Urtyp der Ich-Dramatik Strindbergs und des deutschen Expressionismus. Strindberg hat mit diesem Werk freilich nicht nur eine weitere Paraphrase seiner von privaten Mythen und Symbolen überwucherten Weltanschauung geliefert, sondern durch eine geradezu auffällige Häufung von Innovationen einen der entscheidendsten Beiträge zur Weiterentwicklung des Modernen Dramas geleistet. Die Stichworte sind: Ablösung der Mimesis-Doktrin der kodifizierten aristotelischen Poetik und Episierung des Dramas u. a. mit Hilfe der Stationentechnik; Auflösung der logischen Handlungs-Struktur sowie des realistischen Zeit- und Raumbegriffs und damit Vorwegnahme des Surrealismus; Depersonalisierung der Figuren und damit Ablösung des klassischen »Charakterdramas« und Schaffung des Typendramas. Das letztere mag zunächst verwundern, da ja mit dem autobiographisch bestimmten zentralen Ich in diesem und auch anderen Spätwerken Strindbergs durchaus ein »Charakter«, der des Dichters selbst, im Mittelpunkt zu stehen scheint. Diese Konfiguration des solipsistischen Autors, dem es, so P. Szondi, »an erster Stelle um die Isolierung und Erhöhung seiner meist ihn selbst verkörpernden zentralen Gestalt« geht, bleibt jedoch in ihrer bizarren Ausformung von einem sog. klassischen »Charakter« weiter entfernt als alle früheren Figuren Strindbergs und bestätigt im Nachhinein Strindbergs bereits im Vorwort zu *Fräulein Julie* entwickelte Theorie von der Inkonsistenz der Charaktere (vgl. S. 37 ff.). Auf diese Depersonalisierung weist nicht zuletzt die Bezeichnung der handelnden Personen in *Nach Damaskus* hin. Um die Zentralfigur des Unbekannten gruppieren sich u. a.: Die Dame, Der Bettler, Der Arzt, Die Mutter, Der Konfessor, allesamt anonyme, namenlose Unpersonen, die als vergleichbare »Typen« einige Jahre später das Personal vieler expressionistischer Stücke bilden.

Als Strindberg im Frühjahr 1898 den ersten Teil von *Nach Damaskus* schrieb, hatte er, wie G. Brandell im Gegensatz zu anderen Interpreten wohl zu Recht feststellt, zunächst nicht an eine Fortsetzung gedacht. Teil I ist daher nicht von einer trilogischen Konzeption her zu beurteilen, während die Teile II und III natürlich jeweils in ihrer Abhängigkeit von den vorangegangenen Teilen der Trilogie zu interpretieren sind. Strindberg dachte übrigens, wie R. Volz nachweist, an eine Ausweitung zur Tetralogie. Bruchstücke des geplanten Teils IV sind erhalten.

Bei einer Interpretation des ersten, gewichtigsten und artifiziell vollendetsten Teils muß man davon ausgehen, daß nahezu alle Handlungsteile, Aussagen, Tendenzen ihren Ausgangspunkt »in der Wirklichkeit und in« Strindbergs »tatsächlichen Erlebnissen« haben (G. Brandell), daß man sich bei der Interpretation davor hüten muß, das Geheimnisvolle, Mystische – das im übrigen auch aus einer bis zur Attitüde erstarrten literarischen Haltung der Jahrhundertwende evoziert wurde – durch eine verschleiernde und mystifizierende Deutung zu verstellen und die vielen unauflösbaren Verrätselungen durch kryptische Deutungen noch mehr zu verrätseln, anstatt die deutlich sichtbaren Strukturen dieses Dramas der Halb-Realität (E. Törnqvist) bloßzulegen. Solche »Fehldeutungen« (Brandell), wie etwa die von H. Taub, sind freilich durch Strindbergs eigene nachträgliche Interpretation von *Nach Damaskus* als »früheres Traumspiel« bestärkt worden, wobei nicht berücksichtigt wurde, daß Strindberg häufig durch Uminterpretationen frühere Werke einer späteren Situation anpaßte. Solche Deutungen wurden auch dadurch bestärkt, daß durch ein nahezu undurchdringliches Gewebe von Symbolen und von durch pausenloses Assoziieren entstandenen privaten Mythen, durch eine phantastische Verzerrung der logischen Handlungsstrukturen das recht einfache, durchaus realistische Grundmuster der Handlung von *Nach Damaskus I* verdeckt wurde:

Der Unbekannte – Strindbergs alter ego – trifft »die Dame« (autobiographisch: Strindbergs zweite Frau Frida Uhl) und »nimmt« sie ihrem ersten Mann, dem Arzt, »weg« (Reflex von Strindbergs erster Ehe mit Siri von Essen). Nach der Eheschließung suchen die beiden aus ökonomischen Gründen Zuflucht bei den Verwandten der Frau auf dem Land (Strindberg bei den Eltern Frida Uhls in Österreich). Das Ehepaar entfremdet sich in verschiedenen Krisen und findet am Ende vor einem Postamt wieder zusammen. Dort erhält der Unbekannte eine Geldsendung, die die ganze Zeit für ihn bereitgelegen hatte und

als »der Brief« als einziges durchgehend realistisches Versatz-
stück die Handlung des Dramas von Anfang an strukturiert
hatte. Diese einfache »Handlung« wird freilich durch surrealistische Elemente bis zur Unkenntlichkeit »verzerrt« und durch
eine hocharifizielle Dramentechnik verändert.

Der Unbekannte erlebt diese Vorgänge als »Stationen« auf
einem Lebensweg. Das ursprünglich rein epische Motiv des
Wanderns (Odyssee, Göttliche Komödie) wird hier mit Hilfe
neuer Techniken dem Drama erschlossen, wobei gleichzeitig
eine Episierung des Dramas erfolgt. »Weg« und »Wandern«
werden freilich noch nicht wie schließlich in Teil III direkt
dargestellt, sondern durch Requisiten wie Wegweiser, Wander-
kleidung, sowie durch Szenenangaben (Straßenecke, Landstraße, Hohlweg) und das Leitmotiv der *großen Landstraße*
(zugleich Titel von Strindbergs letztem Stück!) indirekt exponiert. Die erstmals – nach dem Vorbild mittelalterlicher Mysterienspiele – angewandte Stationentechnik ermöglicht eine Erweiterung der offenen Dramenform über die bis dahin bekannten Beispiele (Goethes *Faust,* Büchners *Woyzeck,* Ibsens *Peer
Gynt*) hinaus. Strindberg gelingt mit *Nach Damaskus I* eine bis
dahin im offenen Drama unerreichte inhaltliche und formale
Koinzidenz: denn die 17 »Stationen«, die der Unbekannte pas-
sieren muß, sind nicht nur »Stationen« der Handlungsführung,
sondern bilden zugleich eine neugewonnene formale Struktur.
Eine von Strindberg darübergestülpte (und von Schering in der
deutschen Ausgabe weggelassene) Akteinteilung hat keine Funktion mehr. In einer später kaum mehr erreichten Virtuosität
komponierte Strindberg die 17 Szenen in Form einer symme-
trischen Krebsfuge, so daß sich jeweils Szene 1 und 17 (An
der Straßenecke), 2 und 16 (Beim Arzt), 3 und 15 (Hotelzim-
mer) usw. entsprechen (Spiegeltechnik). Strindberg hat in einem
Brief vom 17. 3. 98 an Gustaf af Geijerstam diese kompositorische Struktur erläutert: »Die Kunst liegt in der Komposition,
die die Wiederholung symbolisiert, von der Kierkegaard
spricht; die Handlung rollt sich auf bis zum Asyl; dort erreicht
sie den Endpunkt und geht wieder rückwärts [.`..]« Zentrum
dieser Pyramidenkonstruktion bildet also Szene 9 »Das Asyl«.
Eine Analogie zum Kreuzweg Christi ist trotz der unterschiedlichen Zahl der Stationen von Strindberg sicher beabsichtigt.
Darauf deutet sowohl eine Replik der »Mutter« in der 11. Szene
(»Du bist auf dem Weg nach Damaskus. Gehe dahin denselben
Weg, den du hierher gekommen bist; und pflanze ein Kreuz an
jeder Station, aber bleibe auf der siebenten; du hast nicht vier-

zehn, wie Er!«) wie auch Strindbergs Beschäftigung mit mittelalterlichen Mysterienspielen. G. Stockenström hat sogar den Versuch unternommen, durch eine andere Zählung der »Stationen« (0, 1, 2, 3, ...) auf die Zahl der Kreuzwegstationen zu kommen. Dies ist durchaus mehr als eine nur formale Spielerei, da ja das Hauptthema des Werks, die Rückwendung zu Gott, Strindbergs autobiographisches Damaskuserlebnis paraphrasiert. Wie Strindberg in den »Inferno«-Büchern wird auch der Unbekannte von »den Mächten«, »dem Unbekannten« gelenkt und schließlich zu religiöser Einsicht gebracht. Begleitet wird diese »Wandlung« durch eine Reihe von Symbolen (u. a. die nie verwelkende Christrose), Motiven und Themen, die Strindberg teilweise bereits früher exponiert hatte. Die Wahnvorstellungen (»Feinde überall«) lösen eine Existenzkrise aus. Der Atheismus wird von einer synkretistischen Weltanschauung abgelöst, die sich aus einer von Swedenborg und französischen Okkultisten beeinflußten mystizistischen Theosophie, einer von Schopenhauer und pseudobuddhistischen Modeströmungen bestimmten Leidens- und Mitleidsideologie und einem magisch-zeremoniellen Katholizismus bestimmt ist (z. B. Fluch des »Deuteronomion«). Durch das unablässige Assoziieren des Unbekannten werden aus alltäglichen Dingen und Vorgängen Symbole von großer Eindringlichkeit: Die Mühle zum mahlenden Gewissen, die Masten eines Schiffs zum Kreuz von Golgatha. Der Unbekannte durchläuft in den Stationen Stadien eines Erkenntnisprozesses vom überlegenen Skeptizismus zu einer demütig-resignativen Haltung. Die Figuren, denen er auf diesem Wert begegnet – oft nur »Stichwortlieferanten« für die Hauptfigur –, wurden zum Teil als Verdoppelungen, »Ich-Ausstrahlungen«, schizoide Abspaltungen des Unbekannten gedeutet, nicht zu Unrecht, denn er entdeckt in zahlreichen Figuren sich selbst wieder (Bettler, Caesar usw.) und findet schließlich in der zentralen 9. Szene im Kloster »Die gute Hilfe« (später zweideutig als »Irrenhaus« entlarvt), »alle Figuren seines eigenen Vergangenheitsdramas gespenstisch im Refektorium versammelt« (M. Kesting). Dieses Asyl bildet nicht nur den formalen Angelpunkt der Stationenpyramide, sondern auch den Höhepunkt der inneren »Wandlung« des Unbekannten (Koinzidenz von Form und Inhalt). Dieser wurde mit Fieberphantasien dort eingeliefert, nachdem er jemandem »oben in den Wolken« mit einem Kreuz gedroht hatte. Seitdem hat er Schmerzen in der Hüfte und hinkt. Dieses »Jakobserlebnis« des Ringens mit Gott, das Strindberg auch in dem autobiographischen Fragment *Jakob ringt* literarisch verarbeitet hatte, ist das zentrale Motiv, um das sich alle anderen Themen und Symbole, oftmals auch biblische Allusionen gruppieren. Das Verhältnis zu der Dame etwa, der der Unbekannte als sein eigenes Drama konstituierender Epiker erst den bezeichnenden Namen »Eva« und ein Lebensalter gibt und sie damit zur »Person« werden läßt (»Ich möchte Sie mir auch am liebsten unpersönlich, namenlos denken«), wird von biblischen Allusionen bestimmt: Er verbietet ihr, sein Buch zu lesen (»Baum der Erkenntnis«); die »Mutter« (»Schlange«) verführt sie zur Lektüre. Die Schlüsselworte dieser in der »Rosenkammer« (identisch mit der »Rosenkammer« in *Inferno*) angesiedelten Szene (»Verödung«, »Haß«, »Böses«) erinnern ebenso an frühere Strindberg-Dramen wie auch die Vampir-Thematik (Der Arzt als »Werwolf«).

Ein weiteres Strukturmerkmal des Dramas bildet eine dem Geist der Jahrhundertwende entsprechende morbide Todessymbolik (Leichenzüge, Trauermärsche, Totenuhr, Leichenteile, Requiem usw.), wobei die deiktische Verwendung von Musik bis hin zur Einfügung selbst komponierter Noten im Text weit über die übliche illustrative Verwendung von Musik im Drama hinaus zur weiteren Episierung des Werks beiträgt, etwa die leitmotivische Verwendung von Mendelssohns Trauermarsch, dessen Einsatz der Unbekannte mit einer »Geste nach der Kulisse« als sein eigener Epiker selbst bestimmen kann. Der strenge formale Aufbau des Stücks bedingt seine eigene Logik. C. E. W. Dahlström hat systematisch nachgewiesen, daß die Einheiten »Zeit, Ort und Handlung« erstmals in der dramatischen Literatur völlig aufgehoben sind. Dies gilt auch für die an sich präzis bestimmten Stationen, da sie in ihrem »irgendwound nirgendwo-«Charakter genauso typenhaft sind wie die Personen. Daran ändert auch nichts die autobiographische Bestimmbarkeit einzelner Szenen (etwa die Rosenkammer als Zimmer im Elternhaus Frida Uhls), die dem Wesen der subjektiven Dramatik entspricht, jedoch zum Verständnis des Dramas nicht enträtselt werden muß. *Nach Damaskus I* gilt zu Recht als »Urbild« der neuen Gattung »Stationendrama«. »In dieser Konsequenz und strukturellen Geschlossenheit wurde die Form nie mehr erfüllt« (N. Neudecker).

Nur wenige Monate nach Vollendung von *Nach Damaskus I* schrieb Strindberg an der Fortsetzung des Werkes, die 1898 zusammen mit Teil I erschien. Der zweite Teil ist wieder als Stationendrama (9 Szenen) konzipiert, freilich ohne die unwiederholbare virtuose Symmetrie der Szenen. Die Einteilung in 4 Akte wirkt aufgesetzt und widerspricht der Reihungsstruktur der Stationentechnik; G. Stockenström spricht von einer »mehr klassischen dramatischen Technik«. Ausgangspunkt ist die Grundsituation des ersten Teils mit etwa dem gleichen Typenarsenal. Der Bettler ist nun mit dem Konfessor identisch. Teil II ist gegenüber Teil I zunehmend privater und autobiographischer. Verstärkt sind auch die okkultistischen und kabbalistischen Elemente auf der einen und die eines magisch-zeremoniellen Katholizismus auf der anderen Seite. Strindberg hatte seine theosophischen und naturphilosophischen Ansichten durch die Lektüre von Oken und Baader erweitert und mit der Lektüre französischer Okkultisten verbunden. Die Hauptthemen des ersten Teils: Kampf gegen die überirdischen »Mächte« (Der Unbekannte: »Ich bin Kain [...] und stehe unter dem Bann der Mächte«) und das Ehe- und Liebesthema werden weitergeführt. Dem Unbekannten ist nun der Dominikaner = Konfessor = Bettler als begleitender »Zuchtmeister und Schutzgeist« zugeordnet. Obwohl der zweite Teil insgesamt weniger geschlossen wirkt als Teil I, enthält er *eine* unvergleichlich dichte Szene, die man als erstes voll durchkomponiertes Beispiel des Surrealismus ansehen kann: Das Goldmacherbankett mit dem Übergang in die anschließende Gefängnisszene.

Der Unbekannte hat sich, wie Strindberg selbst, der Goldmacherei zugewandt, um »die ganze Weltordnung lahmzulegen«, »um zu zerstören«. Auf einem Bankett sollen seine Verdienste um die Goldmacherei geehrt werden. In einer großartig-kafkaesken Szene verwandelt sich das strahlende Festbankett nach und nach in eine wüste mit Bettlern und Huren bevölkerte Kneipe. Einladung und Ehrung gingen nicht von der Regierung, sondern von einem absurden »Trinkerorden« aus. Die ganze Szenenfolge wird durch die Logik des Absurden verknüpft und kulminiert in einer »Verwandlung auf offener Szene«, in der Strindberg eine bis ins Theater der Gegenwart wirksame Innovation von stärkster Eindringlichkeit gelingt: Der gleichsam filmische Übergang – die Überblendung von einer Szene in die andere, freilich mit den einfachen technischen Mitteln des Kulissentheaters:

»Dunkel auf der Bühne: Ein Wirrwarr von Dekorationen, Landschaften, Paläste, Zimmer, werden heruntergelassen und vorgeschoben, unter denen Personen und Möbel verschwinden, zuletzt der Unbekannte, der in Starrkrampf, schlafend dazustehen scheint;

schließlich verschwindet auch er; und aus dem Wirrwarr tritt ein Gefängniszimmer hervor.«

Die psychisch-religiöse Krise des Unbekannten wird schließlich zur an schizoide Zustände erinnernden Identitätskrise: »Wo bin ich? Wo bin ich gewesen? [...] In welchem Jahrhundert lebe ich und in welchem Weltraum? Bin ich Kind oder Greis, Mann oder Weib, ein Gott oder ein Teufel? – Wer bist du? Bist du du oder bist du ich? [...] Ich leide, als ob ich das ganze Menschengeschlecht wäre.«

Eine Lösung dieser Krisensituation wird im dritten Teil der Damaskustrilogie angeboten, den Strindberg 1901, drei Jahre nach Teil I und II, unter sehr veränderten Produktionsbedingungen vollendete und der ursprünglich unter dem Titel »Im Kloster« konzipiert war. Die Struktur des Wege- und Wander-Dramas tritt nun noch deutlicher hervor: Der Konfessor ist zum »Führer« (vergleichbar der Führerfigur bei Dante) geworden. Der »Weg« führt vom Ufer des Flusses in einem großen Prozeß der Elevation zu einem Kloster in den Gipfelregionen des Gebirges. Die Gebirgs- und Wolkensymbolik erinnert deutlich an *Faust II*. Ziel der Wanderung ist der Tod des Fleisches, des alten Ichs. Der Weg und das Wandern werden hier erstmals optisch dargestellt, die Bühne wird zum zu durchschreitenden Weltenraum. Der Text ist stärker noch als der von Teil I und II überwuchert von Verrätselungen, Symbolisierungen, Allusionen. Der Fluß, ein »Ufer des Abschieds«, trennt alte und neue Welt, ein »Fährmann« (Allusion an antike Mythen) bringt Führer und Geführten ans andere Ufer. Bei der mystischen Komponente dominieren nun deutlich Versatzstücke eines magisch-zeremoniellen Katholizismus: Monstranzen, Kirchen, Prozessionen, Gesänge.

Diese Versatzstücke sind ebenso wie das Klostermotiv deutliche autobiographische Reflexe von Strindbergs zeitweiliger Annäherung an den Katholizismus. Nach der Infernozeit hatte er mehrfach den Gedanken geäußert, in das belgische Kloster Maredsous eintreten zu wollen. Im Sommer 1898, nach Abschluß von *Nach Damaskus II,* besuchte Strindberg dieses Kloster, das in Vermischung mit Eindrücken aus dem katholischen Österreich zum Urbild für die Klosterlandschaft des dritten Teils der Damaskustrilogie wurde.

Auf dem Weg »nach oben« gesellt Strindberg dem Unbekannten einen zweiten Begleiter, den »Versucher«, bei, der mehrere der oft seltsamen – wieder in ein Vieraktschema eingepreßten – Stationen aus seiner Sicht kommentiert: die bizarre Szene am Teich der Venusverehrer, die in seltsamen alchimistischen Riten erotische Mysterien feiern; eine absurde Gerichtsverhandlung, in der der Versucher das Schuldproblem ins Gegenteil verkehrt; die tiefenpsychologisch zu deutende Verwandlung der Dame in die Mutter; die Wiederholung (im Kierkegaardschen Sinn) der Ehe des Unbekannten mit der Dame als Bräutigam und Braut (»Versöhnung mit der Menschheit und dem Weib durch das Weib«) und das Scheitern dieser Wiederholung in der Wiederkehr des Geschlechterkampfes.

Der Eintritt in das Kloster, einem Hort abendländischer Bildung und Kultur, und die symbolische Grablegung des Unbekannten in der letzten Szene beschließen das Drama und bieten eine umfassende Lösung der Existenzproblematik in der Religion.

Ausgaben:

Stockholm 1898 (I–II). - Stockholm 1904 (III; in: Samlade dramatiska arbeten I, 3). Ss 29.

Ü:

I/5.

Aufführungen:

UA Stockholm 19. 11. 1900 (Teil I). - Deutsche EA Berlin 27. 4. 1914 (Teil I). - UA München 9. 6. 1916 (Teile II u. III, bearb.).

Literatur:

U. Bartholomae: Die Doppelpersönlichkeit im Drama der Moderne. Phil. Diss. Erlangen 1967, 40 ff. - *V. A. Börge:* »S.'s Weg aus dem Inferno. Dargest. durch eine Interpretation der dramat. Trilogie ›Nach Damaskus‹.« In: DVjS 17 (1939), 438–455. - *G. Brandell* (4.3.2/8), 230–255 und (4.3.2/9) und (4.2/3). - *C. E. W. L. Dahlström* (4.5.1/4), 117–156. - *Ders.:* »Situation and character in ›Till Damaskus.‹« In: PMLA 53 (1939), 886–902. Ferner: 4.5.2.2/2. - *M. Deyer:* Die Ursprünge der Dramaturgie von S.'s ›Nach Damaskus‹. Phil. Diss. Wien 1952 (masch.). - *B. Diebold* (4.5.2.2/3). - *W. Hans:* »S.'s Weg nach Damaskus.« In: Euphorion 28 (1927), 253–273. - *G. S. Howard* (4.5.2.2/4). - *R. R. Jarvi* (4.5.2.2/5). - *A. Jolivet* (4.5.1/10), 233–251, 307–316. - *M. Kesting* (4.5.2.2/6) und (4.5.2.2/7). - *M. Lamm:* Dramer II (4.5.1/12), 52–76, 255–259. - *S. Møller Kristensen:* »S.'s ›Damaskus‹.« In: Orbis Litterarum 24 (1967), 363–377. - *N. Neudecker* (4.5.2.2/8), 101 ff. - *F. Paul* (4.5.2.2/9). - *E. M. Passerini* (4.5.1/17). - *E. Peukert* (4.5.1/18). - *D. Scalan:* »The Road to Damascus,

Part One: A skeptic's Everyman.« In: MD 5 (1962/63), 344–351. - *Sister M. Vincentia*, O. P.: »Wagnerism in S.'s The Road to Damascus.« In: MD 5 (1962/63), 335–343. - *G. Stockenström* (4.5.2.2/10),283–383. - *E. Springchorn:* »›The Zola of the Occult‹: S.'s Experimental Method.« In: MD 17 (1974), 251–66. Auch in: S. and Modern Theatre (4.1/9), 101–118. - *P. Szondi* (4.5.1/19), 46 ff. - *H. Taub:* S. als Traumdichter. Göteborg 1945. - *E. Törnqvist:* »S. and the drama of half-reality. An analysis of To Damascus I«. In: S. and Modern Theatre (4.1/9), 119 bis 150. - *G. Vogelweith* (4.5.1/20), 119–148. - *R. Volz* (4.5.1/22). - *Ders.:* Till Damaskus. In: KLL 6, 2664–67. - *H. Vriesen:* (4.5.2.2/11), 40 ff. - *K. Wiespointner* (4.5.2.2/12). - *J. L. Zentner* (4.5.1/23).

2.5.2. Dramen 1899–1901/02

Den innovatorischen Prozeß, begonnen mit *Nach Damaskus I,* setzte Strindberg in den Jahren bis 1902 in nahezu zwanzig weiteren Dramen fort (darunter ein ganzer Zyklus historischer Dramen, s. S. 100), die mit ihrem heterogenen Themen- und Formenarsenal auf den ersten Blick Strindbergs Fähigkeit zu bestätigen scheinen, gleichsam simultan an den unterschiedlichsten dramatischen Gattungen mit total divergierenden formalen Ansprüchen zu arbeiten. Tatsächlich aber haben alle diese Stücke – von den historischen Dramen zunächst einmal abgesehen – eines gemeinsam: in einem komplizierten Prozeß der Abwendung von der aristotelischen Dramenpoetik und einer Auflösung der Tektonik des Dramas werden die bislang bestimmenden Faktoren Zeit, Raum, Kausalität, Finalität und Logik der Handlungsführung in unterschiedlicher Graduierung außer Kraft gesetzt, wobei nahezu alle Dramen ihr Motiv- und Themenarsenal aus der Autobiographie Strindbergs, besonders aus der Zeit der Infernokrise, beziehen. Die Entschlüsselung dieser autobiographischen Reflexe ermöglicht durch Vergleiche zwischen den Personen und Motiven der einzelnen Stücke Deutungen, die rein werkimmanent nicht zu gewinnen sind, umgekehrt bringt ein Vergleich der Stücke gerade auf autobiographischer Grundlage Strindbergs thematische und motivische Verfahrensweise der ständigen (und bisweilen ermüdenden) Repetition eigener psychischer Erfahrungen zutage, eine Verfahrensweise, die durch die bewußt variierten, hochartifiziellen Kunstformen dem flüchtigen Leser oder Zuschauer verschleiert wird. Man kann die dramatische Produktion der Jahre 1899–1901 in verschiedene Phasen untergliedern.

In direktem Anschluß an die »Damaskus«-Thematik steht eine Gruppe religiöser Dramen: die »Mysterienspiele« *Advent* (1899) und *Ostern* (Påsk) (1900), sowie das »religiöse Salondrama« *Rausch* (eigentlich »Verbrechen und Verbrechen«: Brott och brott) (1899). Als scheinbar die Entwicklung durchbrechender Sonderfall präsentiert sich (neben den Gelegenheitsstücken *Mittsommer* [Midsommar] [1900] und *Kaspers Fastnacht* (Kaspers fet-tisdag) [1900]) das pseudonaturalistische zweiteilige Drama *Totentanz* (Dödsdansen) (1900).

Eine weitere Gruppe bilden die unter dem Einfluß Maeterlincks entstandenen folkloristisch-märchenhaften Stücke *Die Kronbraut* (Kronbruden) (1901) und *Schwanenweiß* (Svanevit) (1901), die formal und inhaltlich zu *Ein Traumspiel* (Ett drömspel) (1901), dem künstlerischen Höhepunkt dieser Produktionsphase, überleiten.

2.5.2.1. Advent (1899)

Das bisweilen unterschätzte Drama *Advent, Ein Mysterium* (Ett mysterium), das Strindberg Ende 1898 in Anschluß an *Nach Damaskus II* konzipierte, markiert am deutlichsten die Weiterführung der Infernothematik wie auch die Fortentwicklung der neuen dramatischen Formen.

Eindrucksvoll gelingt hier Strindberg die Verbindung eines folienhaften vordergründigen Realismus mit einer bedrückenden surrealen Ebene, verknüpft mit märchenhaften Elementen, die auf Strindbergs Dickens- und Andersen-Lektüre zurückzuführen sind. Hauptthema des fünfaktigen Stücks sind Sühne und Vergebung für die verborgenen Verbrechen eines alten Richterehepaares, das – eine Philemon- und Baucis-Groteske – seinen Lebensabend in einem Abgrund von Haß und Menschenverachtung selbstgerecht und böse verbringt. Die bevorstehende Einweihung eines Mausoleums für das Ehepaar, gebaut auf einer alten Galgenstätte (Golgatha?), bildet den zunächst realistischen Ausgangspunkt der Handlung; das groteske Motiv leitet jedoch rasch auf die surreale Ebene über. Dem anonymen, als Typen konzipierten Paar Richter/Richterin tritt aus dem Mausoleum eine gespenstische Prozession der Menschen entgegen, an denen das Paar seine Verbrechen begangen hat. Die Frage des Richters: »Sind es Schatten oder Gespenster, oder unsere eigenen kranken Träume?« bezeichnet genau den eigentümlich schwebenden Zustand zwischen Realem und Surrealem und zugleich die psychologische Dimension des Magisch-Mystischen. Als Vertreter einer Gegenwelt fungieren die Tochter des Richters und seine Enkelkinder, deren »Lichtwelt« in einer Parallelhandlung im selbstvergessenen Spiel mit einem mystischen Kind, dem Jesusknaben, gipfelt. Die »Abrechnung« mit dem Richterehepaar erfolgt auf verschiedenen halbrealen und surrealen »Stationen« (u. a. Kreuzweg, »Wartesaal«, Gerichtssaal). Als Begleiter tritt »der Andere«, eine Inkarnation des Teufels, auf, der jedoch »bereut« hat und als Bekehrter die Menschen warnt. Dahinter steht Strindbergs (von Swedenborg übernommene) Auffassung von der Aufhebung des Dualismus von »Gut und Böse«. Daraus erklärt sich auch der Titel *Advent* wie auch die Gattungsbezeichnung »Ein Mysterium« »als Hoffnung darauf und als Nachricht darüber, daß die Strafen nicht ewig sind« (Brief vom 3. 1. 99 an Geijerstam).

Höhepunkt des Stücks ist ein gespenstischer (an das Goldmacherbankett in *Nach Damaskus II* erinnernder) »Ball« in einem von Bettlern und Mülleuten bevölkerten »Wartesaal« voller Leichengeruch, in dem die Musik spielt, ohne daß man die Töne hört. Erst später, nach der »großen Auktion«, in der niemand für den Richter bieten will, wird diesem die besondere Eigenschaft des »Wartesaales« klar: »Der Richter: Angenommen, ich befinde mich im Totenreich [...] Der Andere: Sag Hölle, du, denn so heißt es.« Man kann darin deutlich eine Vorwegnahme desselben Motivs in Sartres *Huis Clos (Geschlossene Gesellschaft)* (1945) mit dessen existentialistischen Dimensionen sehen. Das Stück endet, analog zum Titel, versöhnlich mit einer Weihnachtsszene im Haus der Tochter, in der der Richter und die Richterin als Pilger auf Erden die Epiphanie des Jesusknaben in Gestalt eines Bettlerjungen erleben und so durch stellvertretendes Leiden geläutert werden.

»Die mystische Weltkonzeption Strindbergs ist«, so G. Stockenström, »grundlegend für das Verständnis der ganzen Nachinferno-Dramatik« bis hin zum Spätwerk.

Die Versatzstücke dieses Mystizismus, etwa das Nebeneinander von Swedenborgianismus und Kryptokatholizismus, sind auch in diesem Werk deutlich erkennbar; das Stück rückt dadurch in ein eigenartiges Niemandsland, in dem das katholische Milieu (Messe; Monstranz; Franziskaner als autobiographische Reflexe der Österreichaufenthalte; »Vorbilder« für das Richterpaar waren die Großeltern von Strindbergs zweiter Frau Frida Uhl) zur grüblerischen swedenborgisch-schwedischen Dialogführung einen eigenartigen Kontrast bildet.

Die formalen Neuerungen des Damaskus-Dramas sind mit dem Szenenwandel auf offener Bühne und den daraus resultierenden frappierenden Übergängen zwischen realen und surrealen Szenen weitergeführt, wobei die zusätzliche Verwendung von technischen Mitteln wie der laterna magica und die Projektion von Bildern (erstmalig) die Episierung des Dramas fortführt.

Ausgaben:

Stockholm 1899 (in: Vid högre rätt. Två dramer). - Ss 30.

Ü:

I/7.

Aufführungen:

UA München 28. 12. 1915. - Schwed. EA Stockholm 22. 1. 1926.

Literatur:

V. *Børge* (4.5.2.2/1), 134–153. - H. *Fa[ust]:* Advent. In: KLL 1, 136 f. - A. *Jolivet* (4.5.1/10), 252–256. - M. *Lamm:* Dramer II (4.5.1/ 12), 76–88. - G. *Ollén* (4.5.1/15), 126–130 (schwed. Ausg.). - G. *Stockenström* (4.5.2.2/10), 384–414.

2.5.2.2. Rausch (eigentlich: Verbrechen und Verbrechen) (Brott och brott) (1899)

Das direkt im Anschluß an *Advent* entstandene Stück *Rausch* (Brott och brott) zeigt geradezu exemplarisch, wie Strindberg durch den (äußerlichen) Gattungswechsel vom »Mysterienspiel« zum »Gesellschaftsstück«die Infernothematik von der surrealistischen auf die realistische Basis verschieben konnte.

Auf den ersten Blick betrachtet, handelt es sich um ein Kriminalstück, das in der Pariser Boheme spielt, viel genauer trifft jedoch die Bezeichnung »religiöses Salondrama« (G. Stockenström) Strindbergs Intention, die direkt an die Thematik der vorangehenden Stücke anknüpft. Es ist denn auch kein Zufall, daß Strindberg den für *Rausch* zunächst erwogenen Titel *Vor einem höheren Gericht* (Vid högre rätt) dem Sammelband gab, in dem er 1899 *Advent* und *Rausch* zusammen herausgab. Die gemeinsame thematische Basis der beiden Stücke (verborgene Verbrechen und deren Sühne) ist damit genauso wie durch den eigentlichen differenzierenden Stücktitel *Verbrechen und Verbrechen* (Brott och Brott) (Strindbergs Erklärung: »Es gibt solche und solche Verbrechen«) akzentuiert (der deutsche Titel *Rausch* geht auf eine von Strindberg erwogene Titelvariante [Rus] zurück).

Die (in der deutschen Ausgabe fehlende) Gattungsbezeichnung »Komödie« scheint zunächst wenig zur mystizistischen Auffassung von Schuld und Sühne im Text zu passen, man darf dies aber wohl als Spielanweisung und als Hindeutung auf den versöhnlichen Ausgang ansehen: »Versöhnung! Bien! Aber durch Strafe. – Und der Unsichtbare will nicht, daß wir nachts gut schlafen, da er uns um 2 Uhr weckt. Mein Stückschluß ist schon banal. Der Abbé lächelt ja und scherzt [...]« (Brief vom 26. 3. 99 an L. Littmansson).

Schwäche und Stärke des Stücks bedingen sich gegenseitig. In einer etwas mühsamen Exposition werden die Fäden der kriminalistischen Handlung geknüpft, die Auflösung der »Geheimnisse« darf man ruhig zu den besten Passagen in Strindbergs Nachinfernodramatik rechnen. Der Dramatiker Maurice wird unmittelbar vor seinem ersten großen Erfolg von der vampirartigen Malerin Henriette (als Vorbild nennt Strindberg selbst wieder einmal »Aspasia« = Dagny Juel, die spätere Frau Przybyszewskis) seiner Geliebten Jeanne und ihrer gemeinsamen fünfjährigen Tochter Marion entfremdet. Die Erinnerung an die Tochter verhindert die erotische Erfüllung mit der emanzipierten Vampir-Frau; der Dichter wünscht in diesem Augenblick den Tod der Tochter, der, durch »höhere Mächte« bewirkt, tatsächlich eintritt. Der Schriftsteller wird des Mordes beschuldigt, seine Karriere scheint vernichtet. Die Kriminalhandlung löst sich, indem der natürliche Tod des Kindes nachgewiesen wird. Ein während des Stücks immer an entscheidender Stelle auftretender namenloser Abbé, offensichtlich eine der aus früheren Stücken bekannten Führer- oder Begleiterfiguren (vgl. Konfessor in *Nach Damaskus*), spricht freilich mehrfach davon, daß die Verwicklungen »nicht Menschenwerk« seien und weist damit auf die religiös-mystische Dimension des Stücks hin.

Trotz oder wegen der (pseudo-)realistischen Oberfläche des Stücks ist der autobiographische Hintergrund stärker (und störender) erkennbar als in anderen Werken der Nachinfernozeit. Strindbergs mystische Erlebnisse in Paris verbinden sich mit seiner Auffassung von der Dreyfusaffäre und seinem Verhältnis zur Tochter Kerstin (aus der Ehe mit Frida Uhl), der er ab

1895 (das Kind war gerade 1 Jahr alt) die vielleicht ergreifendsten bekenntnishaften Vater-Briefe der Weltliteratur schickte.

Stofflicher Ausgangspunkt für dieses Werk wie für viele der nachfolgenden Werke bis zur *Gespenstersonate* war ein 1899 begonnenes (bis heute unpubliziertes) »Mirakelbuch«, in dem Strindberg eigene und fremde magisch-mystische Erlebnisse aufzeichnete – eine reiche Material- und damit Motivsammlung für die späteren Werke. Eine Liste über »Okkultistische Dramen – Nemesisdramen« deutet in dieselbe Richtung.

Strukturell bedeutsam für das Werk ist die genau vorgeschriebene deiktische und damit epische Verwendung von Musik, nämlich das Finale von Beethovens Sonate op. 31 Nr. 3, besonders Takt 96–107 (die als »Gespenstersonate« im gleichnamigen Drama später thematisch wurde). In einem Brief an L. Littmansson vom 21. 3. 99 vermerkte Strindberg außerdem, daß sein »Stück auf dieser Sonate fugenartig aufgebaut« sei. Dieser Hinweis, der Strindbergs genau ausgeklügelte, niemals zufällige »Kompositions«technik bekräftigt, läßt sich freilich nur schwer am Text nachvollziehen. Versuche, u. a. von G. Stockenström, die Sonatenstruktur im Text nachzuweisen, sind nicht ganz überzeugend gelungen.

Ausgaben:

Stockholm 1899 (in: Vid högre rätt. Två dramer). Ss 30.

Ü:

I/6.

Aufführungen:

UA Stockholm 26. 2. 1900. - Deutsche EA Breslau August 1900.

Literatur:

J. L. Allan Jr.: »Symbol and Meaning in S.'s Crime and Crime.« In: MD 9 (1966), 62–73. - *V. Børge* (4.5.2.2/1), 154 ff. - *H. Fa[ust]:* Brott och brott. In: KLL 1, 1905 f. - *J. Hortenbach* (4.5.1/8), 130–136. - *A. Jolivet* (4.5.1/10), 256–263. - *M. Lamm:* Dramer II (4.5.1/12), 89 bis 98. - *Ders.:* »S.'s ›Rausch‹.« In: Das Nationaltheater 2 (1930), 179–85. - *G. Ollén* (4.5.1/15), 130–136. - *G. Stockenström* (4.5.2.2/10), 415–450.

Strindberg bezeichnete das im Herbst 1900 in kurzer Zeit verfaßte dreiaktige Drama *Ostern* (Påsk) in Anlehnung an mittelalterliche Vorbilder mehrfach als »Passionsspiel« (z. B. Brief vom 20. 11. 1900 an N. Personne. – Als Untertitel nur in der deutschen Ausgabe) und ordnete es damit neben *Advent* und *Rausch* in die Trias der »Mysterienspiele« in der Nachfolge von *Nach Damaskus* ein. Inhalt und kompositorische Form sind hier besonders dicht und stringent aufeinander bezogen. Die drei Akte spielen am Gründonnerstag, Karfreitag und Ostersamstag, so daß die »Stationentechnik« hier erstmals aus der Wege- und Wandermotivik in ein Zeitliches übertragen wird. Die beabsichtigte Analogie zur Leidensgeschichte Christi verdeutlicht Strindberg durch die episch-deiktische Verwendung von genau vorgeschriebenen musikalischen Zitaten aus Haydns Oratorium »Sieben Worte des Erlösers«, wobei diese »Sieben Worte« auch als Zitate im Text strukturbildend verwendet werden, und Haydns Oratorium selbst als handlungsbestimmendes Motiv (Konzertbesuch) aufgegriffen wird.

Diese selbst für Strindberg ungewöhnlich dichte Komposition gilt einem »Gegenwartsstück«, das rein äußerlich der Konzeption des realistischen analytischen Familiendramas à la Ibsen verpflichtet ist. Von den anderen Stationendramen und Mysterienspielen unterscheidet es sich durch das Fehlen der surrealen Ebene und der Anonymität und Typisierung der Figuren. Alle Personen sind namentlich benannt. Gerade darin zeigt sich jedoch die Variationsbreite von Strindbergs »mystischem Theater« der Nachinfernozeit: Die Thematik des »stellvertretenden Leidens« der »wohlwollenden Nemesis« kann auch ohne Zuhilfenahme des Irrealen und Surrealen kompositorisch durchgeführt werden.

Im Zentrum des Stücks steht das »Ostermädchen« Eleonora, eine schwer beschreibbare »Lichtgestalt«, vielleicht die originellste Figur in Strindbergs Dramatik, eine Herausforderung, an der viele Schauspielerinnen gescheitert sind. Deutliches Vorbild war Strindbergs geisteskranke Lieblingsschwester Elisabeth, die wegen ihrer Schwermut kurz zuvor in eine Heilanstalt eingewiesen worden war, und der er sich auf mystische Weise verbunden fühlte. Die Rolle war zugleich wohl von Anfang an für (seine spätere dritte Frau) Harriet Bosse mit ihrer »kindlichen Gestalt« konzipiert.

Um die Figur der geistig nicht »normalen« Eleonora, die

soeben aus der Heilanstalt weggelaufen ist, gruppiert sich deren Familie, die Mutter, der Bruder Elis (offensichtlich Strindbergs alter ego), dessen Verlobte Christine und ein in die Familiengemeinschaft aufgenommener Gymnasiast Benjamin, den Strindberg von einem Mädchen verkörpert sehen wollte. Thematischer Hintergrund sind die betrügerischen Verfehlungen des zu einer Gefängnisstrafe verurteilten Familienoberhaupts, der eine Anzahl von Menschen finanziell ruiniert hat.

Die Familie erwartet, daß sie durch die Forderungen des Hauptgläubigers Lindqvist zugrunde gerichtet wird. Dieser Lindqvist ist deutlich eine Vorwegnahme des Direktors Hummel aus der *Gespenstersonate:* Die Gedanken und Worte seines Gegenübers kennend, beherrscht und steuert er die Schicksale (Symbol: die Rute!) als ein von außen kommender »Epiker«. Die Grauwetterstimmung des dritten Aktes am Karsamstag klärt sich schließlich in dem Moment auf, als der »Gläubiger« auf Schuldforderung und Rache verzichtet.

Obwohl im Mittelpunkt stehend, hat das Ostermädchen Eleonora an diesem Haupt-Handlungsstrang keinen direkten Anteil. Indirekt bewirkt sie jedoch als »Friedensengel« – Strindberg verweist auf Balzacs »Séraphita« als Vorbild – durch ihre »stille Ruhe« und die unreflektierte Fähigkeit zum Mitleiden die eigentliche innere Wandlung der Beteiligten. Ihr symbolisches Attribut, die »Osterlilie«, die ihr auf eigentümliche Weise zugekommen ist (Strindberg: »Intrige mit dem Blumenladen«), gehört zu den unmittelbar thematischen Accessoires und hat damit genauso strukturbildende Funktion wie die gehäufte Leidensmetaphorik und die Allusionen an die Passion Christi (die roten Gerichtssiegel gleichen z. B. den fünf Wunden Jesu) (vgl. Aa. Kabell). Die dem Realismus unterlegte magisch-mystische Komponente des Stücks wird gleichfalls in der Figur der Eleonora repräsentativ: »Für mich gibt es nicht Zeit und nicht Raum; ich bin überall und nirgends.« Durch den Kunstgriff, diese Aufhebung der Rationalität und Kausalität einem unmündigen, verwirrten Kind in den Mund zu legen (biblische Allusion), ermöglicht Strindberg die Beibehaltung des realistischen Gesamtrahmens, ohne auf das »Mysterium« verzichten zu müssen. Daß die »eigentliche« Wahrheit für Strindberg von der geisteskranken Eleonora ausgeht (»Ich wußte alles, als ich geboren wurde«), ist kaum zu bezweifeln. »Sie leidet mit allem Lebenden«, erläuterte Strindberg selbst seine Figur in einem Brief an Harriet Bosse, »und verwirklicht Christus im Menschen«. Als »verkleidete Göttertochter« (S. Rinman) ist sie sicher auch als Prototyp zu Indras Tochter in *Ein Traumspiel* konzipiert (vgl. S. 77). G. Ollén hat zu Recht darauf verwiesen, daß Strindberg mit *Ostern* bereits sieben Jahre vor den *Kammerspielen* (vgl. S. 87) die Kammerspieltechnik voll ausgebildet hat: äußerste Konzentration von Spielort und Personal, Einfachheit der Dekorationen, Reduktion der »Intrigen«handlung, Verinnerlichung des Vorgangs, konsequente Durchführung einer einmal gewählten Kompositionstechnik (»Die Idee der Kammermusik auf das Drama übertragen«).

Ausgaben:

Sth. 1901. - Ss 33.

Ü:

I/7.

Aufführungen:

UA Frankfurt 9. 3. 1901. - Schwed. EA Stockholm 4. 4. 1901.

Literatur:

V. Børge (4.5.2.2/1), 159 ff. - *A. Jolivet* (4.5.1/10), 264–71. - *Aa. Kabell:* »Påsk og det mystiske teater.« In: Edda 54 (1954), 158–235. - *M. Lamm:* Dramer II (4.5.1/12), 204–222. - *Ders.:* »S.'s ›Ostern‹.« In: Das Nationaltheater 1 (1928–29), H. 4, 8–18. - *B. M[eyer[-D[ettum]:* Påsk. In: KLL 5, 1456 f. - *G. Ollén* (4.5.1/15), 164–71 (schwed. Ausg.). - *S. Rinman* (4.2/17), 102–104.

2.5.2.4. *Totentanz (Dödsdansen) (1901)*

Der älteren Forschung (u. a. Lamm) erschien das kurz nach *Ostern* vollendete zweiteilige Drama *Totentanz* (bessere Übersetzung: Todestanz) als ein Rückgriff auf die naturalistische »Formel« der achtziger Jahre, als ein Seitenstück zu *Der Vater*, auf den ersten Blick ein einleuchtendes Urteil: Die offene Dramenform der Wege- und Wanderungsdramen wird nun wieder zugunsten einer geschlosseneren Form (vorübergehend) aufgegeben, die Einheit von Zeit (ca. 40 Stunden) und Ort (runder Turm) sind annähernd eingehalten. Jedoch schon eine Einheit der Handlung im aristotelischen Sinn ist in dem »unbeendeten Konflikt« (C. Dahlström), oder besser wohl in dem Konflikt ohne Ende, nicht auszumachen, und die Einheit von Zeit und Ort werden bei näherem Hinsehen ebenso fragwürdig. Dem Text selbst kann man entnehmen, daß das in zeitlicher Konzentration vorgeführte Thema »Haß« und »Vereinzelung« in einer »Ehehölle« etwas ohne Anfang und ohne Ende ist, daß die Bezeichnung »Hölle« mehr ist als nur eine Metapher. Der Spielort, ein »runder Turm« auf einer Insel, zudem ein ehemaliges Gefängnis, ergänzt diese einfachen Symbole der äußersten Isolierung und Vereinzelung. Die geradezu zwangsweise sich daraus ergebende Konzentration auf drei Personen kann daher zwar als Rückgriff auf die Technik der Quart d'heure der achtziger Jahre (vgl. S. 47) angesehen werden, ist zugleich aber durch die thematische Struktur bedingt. Die neuere Forschung sieht daher aus den genannten Gründen in dem Stück nicht mehr einen naturalistischen Fremdkörper innerhalb der Nachinfernodramatik. »Tiefer betrachtet«, so G. Brandell, »ist das Drama ganz und gar anti-aristotelisch.« Lamm versuchte, den vermeintlichen Naturalismus des Dramas auch durch die besondere autobiographische Komponente des Werks, durch dessen »Abrechnungs«charakter zu erklären. Tatsächlich ist es nicht schwer, in Kurt Strindbergs alter ego, in Alice seine Schwester Anna und in Edgar seinen Schwager Hugo Philp zu erkennen: Das Ehepaar feierte (wie das im Stück) gerade während der Abfassung die Silberhochzeit. Trotz dieser kaum kaschierten Parallelität, die den Schwager tief verletzte, ist die Kenntnis des biographischen Hintergrunds, im Gegensatz etwa zu anderen Stücken, zum Verständnis des Werks nicht erforderlich, da die Stilisierung und Typisierung – Dahlström verwendete sogar die expressionistische Formel vom »Urmann« und »Urweib« – das Drama weit von jeglichem biographischen Naturalismus abhebt.

Der Titel des Dramas *Todestanz* bezieht sich auf Saint-Saëns »Danse macabre«, ein Musikstück, das Strindberg zunächst beim grotesken Tanz des Hauptmannes verwenden wollte, später aber durch den »Tanz der Bojaren« (von Halvorsen) ersetzte, da bereits Ibsen in *John Gabriel Borkman* (1896) die »Danse macabre« als Motiv verwendet hatte. Die in die falsche Übersetzung *Totentanz* eingegangenen Assoziationen an den mittelalterlichen *Totentanz* wurden in der Literatur (z. B. Elaine Plasberg/W. Johnson) festgeschrieben. Sie sind, obwohl direkt durch keinerlei Strindberg-Äußerungen gedeckt, doch von Thematik und Struktur des Stücks verständlich, zumal Alice von ihrem Mann als von einem »Toten« spricht und Strindberg mit dem wieder aufgegriffenen Vampir-Motiv das Weiterleben der Toten thematisiert. In einem Vorentwurf kommt die Hauptfigur nach einem Schlaganfall direkt ins Vampirstadium. »Wenn das Leben aus ihm ausfließt, beißt er sich in anderen Personen fest, identifiziert sich mit ihnen, lebt deren Leben, versucht deren Seelen zu fressen, sie zu unterwerfen und sich daran zu nähren.«

Dieser Vampirismus wird auch noch in der ausgeführten Version des Stücks nach dem körperlichen Zusammenbruch des Hauptmanns und vor allem in Teil II deutlich. Damit ist jedoch der rätselhafte »Charakter« der Hauptfigur keinesfalls erklärt, die sicherlich in ihrer Struktur auf das absurde Drama des 20. Jh.s vorausweist. Das ganze Stück kreist, so Marianne Kesting, »um das Rätsel seines schwankenden, flackernden Charakters, der zwar in seinen Auswirkungen greifbar, in seinen Motiven aber ungreifbar bleibt [...]. Zweifellos ›mimt‹ er, und er ›gebärdet sich‹ [...]. Er spielt nicht nur eine, sondern zugleich mehrere ›Rollen‹.« Dieses Schwanken des Charakters überträgt sich auch auf das Urteil seiner Frau, die trotz ihres abgrundtiefen Hasses ihn am Ende formelhaft als einen »guten und edlen Mann« bezeichnet.

Der Nihilismus der Ehehölle, symbolisiert im »Gefängnis« des runden Turms, wird von Strindberg auch sprachlich, wie kaum ein zweites Mal, unvergleichlich adäquat gemeistert. Bereits die berühmte Eingangsszene – das Stück spielt im Herbst, es dominieren düstere Farben und fahles Licht – zeigt die Unfähigkeit der Personen, miteinander zu sprechen (»Merkst du nicht, daß wir jeden einzigen Tag dasselbe sagen?«). Edgar, Hauptmann der Festungsartillerie auf einer Insel, und seine Frau Alice, eine frühere Schauspielerin, stehen vor ihrer Silberhochzeit. Dies führt zu einer Rekonstruktion des »fünfundzwanzigjährigen Elends«, bizarr, bruchstückhaft, weit entfernt vom analytischen Drama Ibsenscher Prägung. Als Katalysator dient die auftretende dritte Person, der Quarantänemeister (!) Kurt, Cousin der Frau, eine vom Schicksal verfolgte »Leidensfigur«, die die Metaphysik der Infernozeit rekapituliert.

Seine Beschreibung der Atmosphäre des Turms: »Hier wird so gehaßt, daß es schwer ist zu atmen«, wird durch die zentrale Aussage Alices bestätigt: »Was soll ich sagen? Daß ich ein Menschenalter in diesem Turm gesessen habe, eingeschlossen, bewacht von einem Mann, den ich immer gehaßt habe und nun so grenzenlos hasse, daß ich an dem Tag, an dem er stirbt, laut in die Luft lachen würde? [...] Es ist der unvernünftigste Haß, ohne Grund, ohne Zweck, aber auch ohne Ende.« Die »Wendung« des Stücks, die Peripetie, so man will, nach dem Zusammenbruch des Hauptmanns, ist im Grunde weder Wendung noch Peripetie: Das grenzenlose Hassen geht weiter, nur die Initiative geht an den kranken Hauptmann über, dessen Vampirnatur nun immer deutlicher hervortritt. (Das Vampirthema wird zudem leitmotivisch weitergeführt, wenn Kurt Alice zweimal in grotesker Weise in die Kehle beißt: »Ich will dich beißen [...] und [...] dein Blut saugen [...] dich mit einem Kuß ersticken.«)

Das Stück endet ziellos wie der Anfang. Die doppelbödige, doch auch in eine unbestimmte Metaphysik (»Geschlossene Gesellschaft«? »Swedenborgianische Höhe« [W. Johnson]) deutende Grundsituation wird aber von den Personen nur andeutungsweise erkannt: »Daß dies das Leben selbst sein sollte, das habe ich eigentlich nie geglaubt [...] dies ist der Tod! Oder etwas noch Schlimmeres [...] und wir [...] hatten wahrscheinlich die Aufgabe, einander zu peinigen [...]. Dies sind die ewigen Qualen! Gibt es kein Ende? [...] Vielleicht wenn der Tod kommt, beginnt das Leben!« »Der Schluß ist ja«, schreibt Strindberg erläuternd an Schering, »die Verkündigung der großen Resignation« (31. 1. 1902). Strindberg wählt für die Darstellung dieser Konzeption vier Spielszenen, ohne Bezeichnung (Akt, Szene o. ä.), wodurch die offene, antiaristotelische Struktur (Strindberg ebenfalls am 31. 1. 1902 an Schering: »Das Stück soll gründlich wirken wie ein Roman.«) verstärkt wird, eine Struktur, die von Dürrenmatt erkannt und in seiner Bearbeitung *Play Strindberg* ins Groteske verlagert wurde.

Der zweite, wesentlich kürzere Teil, die Fortsetzung des *Totentanzes*, entstand unmittelbar nach der Beendigung des ersten, angeblich einer Anregung Scherings folgend, der den ersten Teil »zu stark« fand.

Diese Fortsetzung wird allgemein als schwächer angesehen. Zu den drei Personen des ersten Teils treten nun Judith, die Tochter Edgars und Alices, und Allan, der Sohn Kurts. Obwohl die Szenerie vom Turm in einen Salon – ein ehemaliges Jagdschloß – verlegt ist, der Herbst dem Sommer und die düsteren den hellen Farben gewichen sind, ist Scherings sentimentales Resümee »Die düstere Tragik des Alters milderte er durch das Liebesspiel der Jugend« kaum zutreffend. Die Ehehölle geht weiter, der Geschlechterkampf wird auch in der Beziehung des jungen Paares thematisiert, und der Vampircharakter des Hauptmanns dadurch verstärkt, daß er dem »Dulder« Kurt durch mehrere teuflische Intrigen die Existenz zerstört.

In einer biblischen Allusion vereitelt schließlich die kühne Tat Judiths die Intrigen, der Vater (»Holofernes«) stirbt am

Schlaganfall. Die Ambivalenzen der Charaktere werden noch einmal deutlich. Alice, befreit »aus dem Turm, vom Wolfe, vom Vampir«, triumphiert, wie in Teil I vorhergesagt, bei seinem Tod und fühlt gleichzeitig »eine sonderbare Lust, gut von ihm zu sprechen«. Der Hauptmann stirbt mit dem Bibelzitat: »Verzeih ihnen, denn sie wissen nicht, was sie tun.«

Trotz der äußerlich präzisen räumlichen und zeitlichen Tektonik der beiden Teile des Werks muß man von einer ähnlichen Relativierung, wenn nicht gar Aufhebung der räumlich/zeitlichen Kausalität ausgehen wie in den vorangegangenen Dramen nach 1898. Auf einem Blatt mit Dramenentwürfen findet sich ein Titel, der wohl deutlich auf *Totentanz* verweist (G. Ollén): »Die Gefangenen (Ein Traumspiel). Die Menschen peinigen sich gegenseitig genauso wie es Gefangene tun oder Verrückte.« Mit dem Begriff »Ein Traumspiel« wird nicht nur auf jene Aufhebung der Kausalität hingewiesen, sondern zugleich an das Stück angeknüpft, das unter dem Titel *Ein Traumspiel* diese Tendenz in artifiziell vollendeter Form verwirklicht.

Ausgaben:

Sth. 1901. - Ss 34.

Ü:

I/6.

Aufführungen:

UA Köln Sept. 1905. - Schwed. EA Sth. 8. 9. 1909 (Teil I) u. 1. 10. 1909 (Teil II).

Literatur:

G. Brandell (4.2/3), 138–43. - *C. Dahlström* (4.5.1/4), 107–116. - *H. Fa[ust]:* Dödsdansen. In: KLL 2, 1454–56. - *K.-I. Hildeman:* »S., The Dance of Death and Revenge.« In: SS 35 (1963), 267–294. - *O. I. Holtan:* »The Absurd World of S.'s ›The Dance of Death‹.« In: Comparative Drama (New York) 1 (1967), 199–206. - *W. Johnson:* »S. and the Danse Macabre.« In: MD 3 (1960), 8–15. Auch in: Reinert (Hg.). (4.1/5), 117–124. - *A. Jolivet* (4.5.1/10), 274–284. - *M. Kesting* (4.5.2.2/6), 216–18. - *M. Lamm:* Dramer II (4.5.1/12), 222–242. - *O. Levertin·* »A. S.'s ›Totentanz‹.« In: Die Wage 4 (1901), 718–19. - *G. Ollén* (4.5.1/15), 171–82. - *E. Plasberg:* »S. and the New Poetics.« In: MD 15 (1972), 1–14. - *G. Vogelweith* (4.5.1/20), 197–214.

2.5.2.5. »Märchenspiele«: Die Kronbraut (Kronbruden) (1901) Schwanenweiß (Svanevit) (1901)

Mit den beiden im gleichen Jahr abgeschlossenen Dramen *Die Kronbraut* und *Schwanenweiß* versuchte sich Strindberg erstmals auf der für ihn stilistisch neuen Ebene der Neuromantik.

Die *Kronbraut* sei, so Strindberg am 8. 2. 1901 an seine spätere dritte Frau Harriet Bosse, »ein Versuch von mir, in Maeterlincks wunderbare Schönheitswelt einzudringen, ohne Analysen, Fragen und Gesichtspunkte, nur auf der Suche nach Schönheit in Zeichnung und Stimmung«. Strindberg hatte kurz nach der Jahrhundertwende Maeterlincks symbolistisch-neuromantische »gotische« Welt, seine »wunderbaren Marionettenspiele«, für sich neu »entdeckt«. Zehn Jahre zuvor war ihm dies alles noch »wie ein verschlossenes Buch« gewesen (*Offene Briefe ans Intime Theater,* 1909). Die Adaption des Neuen verlief, wie stets bei Strindberg, rasch und vollständig. Bereits 1901 bezeichnete er in einem Brief an Schering Maeterlincks *Le trésor des humbles* als »das größte Buch«, das er gelesen habe (solche spontanen Superlative wurden später meist relativiert), und bei der kurz darauf begonnenen Niederschrift von *Schwanenweiß* verwandte er deutlich Maeterlincks *La princesse Maleine* (1889) als Vorbild.

Stärken und Schwächen der beiden Werke (Poesie und Sentimentalität / Süße und Süßlichkeit) liegen dicht beieinander und sind – mehr als bei anderen Stücken Strindbergs – je nach dem Standpunkt des Rezipienten stark relativierbar.

In dem zur Zeit Karls XV. (Strindbergs Jugendzeit) spielenden »Sagenstück« *Die Kronbraut* gelingt Strindberg mittels einer eigenartigen, künstlich altertümlichen, im Deutschen kaum nachzubildenden, rhythmischen Prosa ein eindringliches »Gemälde« der Landschaft Dalarna mit ihren Sennhütten, Mühlen und Kirchen, ein »Gemälde«, das einerseits auf Maeterlincks symbolistische Adaption eines »gotischen Mittelalters« verweist, zum anderen aber als Reflex von Strindbergs kulturhistorischen Studien (Svenska folket i helg och söcken, 1882) und der allgemeinen schwedischen Begeisterung für die alte Volkskultur um 1900 erscheint. Die »Aufweichung« überkommener Dramenformen wird auch hier deutlich. Strindberg verzichtet auf eine Gattungsbezeichnung. Das Stück ist lose in sechs »Szenen« komponiert. Ein stark epischer Einschlag zeigt sich in den ausführlichen szenischen Bemerkungen, die weit über die üblichen

»Regieanweisungen« hinausgehend sich dem Roman nähern, wobei längere pantomimische Szenen diese Tendenz fördern. Die – teilweise von Strindberg selbst komponierte – Musik hat außerdem in diesem Werk – wie in keinem zweiten mehr – eine episch-deiktische Funktion, die weit über den Singspielcharakter anderer folkloristischer Stücke hinausgeht, eine Funktion, die bei der Lektüre des Stücks durch die im Text eingestreuten Notenzeilen bereits deutlich wird. Inhaltlich gehört das Werk im übrigen durchaus in den Bereich der übrigen Nachinfernodramen: Strindberg gelingt es mühelos, seinen Themenkatalog und seine Obsessionen (Haß, geheimnisvolle Mächte, Schuld, Gericht, Sühne) in die düster gestaltete folkloristische Welt zu überführen.

Die Sennhirtin Kersti (Vorbild: Strindbergs blonde Tochter Greta, die später häufig die Rolle spielte) versündigt sich, weil sie als vorgeblich jungfräuliche »Kronbraut« ihrer Hochzeit ein besonderes Gepränge geben will. In Wirklichkeit hat sie mit dem Bräutigam Mats bereits ein Kind, das einer geheimnisvollen hexenartigen Hebamme (mit Fuchsschwanz) in Obhut gegeben wird (Teufelskultmotiv). Die Hochzeit in der Mühle (Strindbergs Mühlensymbolik) soll zugleich die Versöhnung zwischen den verfeindeten Familien der Mordlinge und des »Mühlvolkes« besiegeln (Romeo-und-Julia-Motiv).

Geheimnisvolle Vorgänge (Verlust der Brautkrone, Entdeckung des toten Kindes) kulminieren zu einer typisch Strindbergischen Gerichtsszene, in der Kersti den »Kindsmord« gesteht. Die beiden letzten Szenen gehören wiederum zu Strindbergs dichtesten Inventionen: Kersti auf der Armsünderbank neben Kirche und Richtblock, widersteht den Versuchungen der Hebamme, und stirbt schließlich den Opfertod für die sich versöhnenden Familien, eine Szene, die mit ihrer eindringlichen Symbolik (Glasbrücke, Brechen des Eises auf dem See) Strindbergs Fähigkeit bezeugt, folkloristische Sagenmotive mit Poesie zu erfüllen.

Während Strindberg in der zutiefst »schwedischen« *Kronbraut* die Balance zwischen folkloristischem Stoff und neuromantischer poetischer Ausformung fast durchgehend wahrt, muß dies für *Schwanenweiß* in Frage gestellt werden.

Obwohl stofflich teilweise auch auf schwedische Quellen (Märchen) zurückzuführen, unterscheidet sich dieses Stück stilistisch radikal von der *Kronbraut*. Das Vorbild der französischen Symbolisten, Maeterlincks vor allem, wird weitgehend nachgeahmt, wobei aber die stille »dekorative« Poesie etwa von

Pelléas et Melisande bei Strindberg durch die extrem gesuchte Metaphorik und die Anhäufung neuromantischer bzw. präraffaelischer Versatzstücke (goldener Käfig mit weißer Taube, Pfauen, Schwäne usw.) stilistisch bisweilen problematisch wird. Die Stilebene des »lyrischen Dramas« wird nicht vollständig durchgehalten. Das märchenhafte Stück (Musik von Jean Sibelius) spielt in einer einzigen Szenerie, die das »gotische« Mittelalter in der Auffassung von Symbolismus und Neuromantik widerspiegelt, wobei das perspektivische Ineinander von drei Räumen eine – wohl alten Gemälden nachempfundene – neue Erfindung Strindbergs darstellt. Einem Arsenal von Typen (der junge König, der Herzog, die Stiefmutter, der Prinz) ist allein Schwanenweiß als einigermaßen individualisierte Persönlichkeit zugeordnet, obwohl auch sie – schon im Namen – einen besonderen Märchentyp repräsentiert. Hauptthema des Stücks ist eine »spiritualistische Erotik« (M. Lamm), die häufig im Zusammenhang mit Strindbergs beginnender Zuneigung zu Harriet Bosse gesehen wurde.

Der Prinz, der für den jungen König als Brautwerber bei Schwanenweiß auftritt (Tristanmotiv), repräsentiert den Typ des »namenlosen Helden« (Lohengrin). Wer seinen Namen nennen kann – wie Schwanenweiß – muß ihn lieben. Dem Liebespaar beigeordnet ist der in den Krieg ziehende Herzog und dessen Frau, die »böse« Stiefmutter von Schwanenweiß, die mit ihrer Stahlpeitsche ein Musterexemplar sadistischer Obsessionen darstellt.

Sie »entdeckt« auch das unschuldige Beilager (Motiv des trennenden Schwertes) der beiden Liebenden und führt die Anklage bei der Gerichtsszene, die Strindberg durch ein poetisch originelles Gottesurteil entscheiden läßt: Drei symbolische Lilien zeigen durch ihr Verhalten die Wahrheit. Der Prinz ertrinkt jedoch »von heftigem Liebesverlangen ergriffen« beim Durchschwimmen des Sunds (Hero-und-Leander-Motiv). Auflösung und Deutung der allegorischen Verrätselungen beschreibt Strindberg selbst in einem Brief an Emil Grandison vom 6. 7. 1901:

»Der Prinz wird zum Leben erweckt, weil Schwanenweiß' Barmherzigkeit (Liebe) gegenüber der Stiefmutter den Ewigen bewegt, das Urteil zu revidieren; und weil die Stiefmutter selbst von dieser Liebe (caritas) ergriffen wird und damit an das Gute zu glauben lernt. Das ist die Versöhnung nach dem Begriff der Volksballade!«

Die Stilebenen dieses von eigenartiger sensitiver Poesie erfüllten Stückes reichen von manieristischen Lyrismen im Umkreis der Titelfigur über die sadistisch-realistischen Szenen der Schwiegermutter bis hin zum Nachinferno-Mystizismus der Schlußszene. G. Ollén hat darauf hingewiesen, daß die bei der Lektüre aufscheinende Heterogenität in der szenischen Realisierung durch die poetische Substanz überdeckt wird.

Das Werk erschien 1902 zusammen mit *Die Kronbraut* und *Ein Traumspiel* in einem Band, eine Zusammenstellung, die sicher mehr als nur verlagstechnischer Natur war, und die kompositorische Zusammengehörigkeit der drei Stücke unterstreichen sollte, ein Hinweis, der für die Interpretation des Traumspiels nicht ohne Bedeutung ist.

Ausgaben:

Sth. 1902 (zus. mit Ett drömspel). - Ss 36.

Ü:

I/8.

Aufführungen:

»Die Kronbraut«: UA Helsingfors 24. 4. 1906. - Deutsche EA Berlin 5. 11. 1913.
»Schwanenweiß«: UA Helsingfors 8. 4. 1908. - Deutsche EA Berlin 1913. Als Oper von Julius Weismann Duisburg 1923.

Literatur:

Haskell M. Bloch: »S. and the Symbolist Drama«. In: MD (1962/63), 314–322. - *H. R. Bortfeldt:* »Strindbergs Schwanenweiß«. In: Die Rampe. Blätter des dt. Schauspielhauses in Hamburg. 1925/26, Nr. 10, S. 153–56. - *H. Fa[ust]:* Kronbruden. In: KLL 4, 796 f. - *A. Jolivet* (4.5.1/10), 285–298. - *KLL:* Svanevit. In: KLL 6, 2219 f. - *M. Lamm:* Dramer II (4.5.1/12), 242–255 u. 273–279. - *C. D. Marcus:* »S.'s Märchenspiel ›Die Kronbraut‹ und die Symbolik seiner Gestalten«. In: Die Rampe. Blätter des dt. Schauspielhauses in Hamburg. 1924/25, Nr. 1, S.1÷5. - *G. Ollén:* schwed. Ausg. (4.5.1/15), 182–191. - *L. E. Syndergaard:* »The Skogsrå of Folklore and S.'s The Crown Bride«. In: Comparative Drama 7 (1973), 310–322.

2.5.2.6. Ein Traumspiel (Ett drömspel) (1901)

Strindbergs *Traumspiel* gilt wohl zu Recht als das magnum opus der Nachinfernodramatik, in dem der Autor nicht nur nahezu sein ganzes Themenarsenal facettenartig noch einmal zusammenfaßt, sondern auch die mit *Nach Damaskus* gewonnenen dramatischen Formen und Formeln intensiviert und erweitert.

Eine authentische Textgestalt ist, wie H. Müssener in seiner grundlegenden Werkmonographie nachweist, kaum herzustellen, da Strindberg selbst – ein flüchtiger Korrekturleser – mit den eigenen Texten sehr unbekümmert umgegangen ist. Originalmanuskript, Erstausgabe, spätere Ausgabe, die vermutlich nach dem Originalmanuskript hergestellte deutsche Übersetzung von Schering und eine von Strindberg selbst besorgte Übersetzung ins Französische unterscheiden sich denn auch beträchtlich voneinander, wobei alle Texte einen gewissen Authentizitätsanspruch haben. Selbst der Titel wechselt bereits in der Ersten Auflage zwischen *Das Traumspiel* (Drömspelet) und *Ein Traumspiel* (Ett Drömspel). Hinzu kommen spätere Ergänzungen und Erweiterungen. Erst in einer noch zu schaffenden historisch-kritischen Ausgabe werden Gewicht und Relationen der einzelnen Texte und Teile zu klären sein. Für jede Interpretation sind jedoch folgende strukturelle und genetische Textmerkmale zu beachten:

1. Die ursprüngliche Einteilung des Stücks in drei Akte wurde von Strindberg selbst gestrichen. Sie ist in der deutschen Übersetzung von Schering (aus dem Manuskript?) beibehalten. Diese Gliederung wird überlappt von einer ebenfalls auf Strindberg zurückgehenden Einteilung in durch Szenenwechsel bedingte Abschnitte – H. Müssener spricht von »13 Aufzügen« (darunter die nachträglich hinzugefügte Passage »Am Mittelmeer«), die wiederum in eine Mikrostruktur von 92 Einzelabschnitten zerfallen.

2. Die als »Autorkommentar« nach Abschluß des Werks geschriebene Vorbemerkung »Erinnerung« (»Erinran«) wurde später von Strindberg um entscheidende Passagen erweitert (Erstdruck bei Müssener 26 f.).

3. Das »Vorspiel« (Dialog zwischen Indra und seiner Tochter) schrieb Strindberg erst 1907; es wurde in alle späteren Ausgaben übernommen.

Strindberg verfaßte das Stück im Herbst 1901 unter dem Eindruck seiner krisenhaften Verbindung mit Harriet Bosse (»als Harriet mit meinem ungeborenen letzten Kind ging«). Aus einem Vorentwurf mit dem Titel *Das Korridordrama* (Korridordramat) entwickelte sich das Stück, das zunächst nach einem der Hauptmotive den Titel *Das wachsende Schloß* trug. Dieser wurde erst kurz vor Drucklegung in *Ein Traumspiel* abgeändert.

Bereits dieser Titel hat zu vielen bis heute stark divergierenden Interpretationen geführt. Die Aufhebung der traditionellen Kausalitäten von Zeit, Ort und Handlung wurde von vielen Forschern (u. a. H. Taub) aufgrund des Titels sehr einfach damit begründet (und damit rationalisiert und banalisiert), daß das Stück die simple Wiedergabe eines Traumes sei. Die in Wirklichkeit viel kompliziertere Struktur des Werks verbietet es jedoch, einfach von einem »szenischen Traum« zu sprechen. Das Vorwort legt vielmehr nahe, daß Strindberg »im Titel nur den traumähnlichen Aufbau des Stückes andeuten wollte« (P. Szondi). 'G. Brandell kritisiert denn auch den gängigen – aber eben mißverständlichen – Begriff »Traumspieldramatik«: Das Wort »Traum« sei »in diesem Zusammenhang kaum recht angemessen, auch wenn Strindberg selbst es war, der es lanciert hat. Es läßt an nächtliches Träumen oder Tagträumen denken, aber keins von beiden kann das Besondere an Strindbergs subjektivem Drama kennzeichnen«. Im übrigen wird der Begriff und das Motiv des »Träumers« von Strindberg selbst in recht unterschiedlicher Weise im Vorwort exponiert und im Drama durchgeführt.

Das Vorwort ist als Beleg für Strindbergs Bewußtheit der Funktionalität seiner neuen Dramenformen von unschätzbarem Wert. Er habe im »Anschluß an sein früheres Traumspiel ›Nach Damaskus‹ versucht, die unzusammenhängende Form des Traumes nachzuahmen. Alles kann geschehen, alles ist möglich und wahrscheinlich. Zeit und Raum existieren nicht«.

Die Strindbergforschung hat diesem Vorwort oft recht hilflos gegenübergestanden, und vielfach in der Literatur wurde dieser Hinweis – wie schon erwähnt – recht mechanistisch verstanden, als desillusionierende, rationalisierende Erklärung des poetischen Mysteriums, vergleichbar irgendwelchen filmischen Experimenten, in denen Gegebenheiten und Konsequenzen des Traums nachgebildet werden sollen. Auch dies wäre für die Zeit um 1900 schon viel und immerhin völlig neu. Aber was zunächst als rationale Erklärung erscheint, die der »exzentrische« Strindberg für das Publikum geschrieben haben soll, um nicht für völlig verrückt gehalten zu werden (vgl. Brief vom 18.11.1911 an Adolf Paul), wird bei näherem Hinsehen ungemein kompliziert. Den entscheidenden Hinweis für eine weitere Deutung gibt Strindberg selbst: »Aber ein Bewußtsein steht über allen, das ist das des Träumers; für das gibt es keine Geheimnisse, keine Inkonsequenz, keine Skrupel, kein Gesetz. Er richtet nicht, er spricht nicht frei, referiert nur.«

Hier wird also mit der Gestalt des Träumers erstmals ausdrücklich ein bis dahin dem Roman vorbehaltener allwissender Epiker genannt, der das Drama ›nur‹ referiert. Dieser Epiker aber steht außerhalb des Dramas, er kommt als dramatis persona nicht vor. Während das Drama der aristotelischen Poetik, bzw. was man im 19. Jh. dafür hielt, als Drama sich selbst konstituierte, d. h. weder durch den Autor, noch durch eine Figur »vorgeführt« wurde, haben wir hier, wiederum wohl erstmals, ein Element außerhalb des Dramas, das das Drama erst konstituiert, vergleichbar eben dem als Figur nicht vorhandenen Erzähler gewisser Romantypen.

Daß das Traumspiel kein von Beginn an bereits konstituiertes Drama ist, daß es während des dramatischen Vorgangs erst hergestellt und damit dargestellt wird, zeigt neben dem Vorwort auch ein äußerliches Merkmal: Strindberg hat dem Stück sehr bewußt kein Personenverzeichnis vorangestellt, da ja die Personen erst im Verlauf des dramatischen Vorgangs durch ihren »Erzähler«, den Träumer, geschaffen werden, also ihre Existenz beliebig ist. Diese Beliebigkeit der Existenz der Figuren, ihre Abhängigkeit von ihrem Epiker (dem Träumer), bedeutet freilich nicht Formlosigkeit, sie ist vielmehr erst durch ein strenges Formprinzip erfüllbar.

Wie bewußt Strindberg dieses Formgesetz anwandte, zeigt die bis vor wenigen Jahren unbeachtet gebliebene Erweiterung des Vorworts, in der Strindberg über sein Formprinzip schreibt:

»Was die lose, unzusammenhängende Form des Dramas betrifft, ist auch sie nur scheinbar. Denn bei schärferer Betrachtung erweist sie sich als ziemlich fest – eine Symphonie, polyphon, hier und da als Fuge gestaltet durch Wiederkehr des Hauptmotivs, das in allen Tonarten wiederholt und variiert wird von mehr als dreißig Stimmen.«

Auf Strindbergs »musikalisches« Kompositionsprinzip wurde mehrfach in der Literatur hingewiesen, u. a. von R. Jarvi; man muß dies im Zusammenhang mit Nietzsches »Geburt der Tragödie aus dem Geiste der Musik« (1871) sehen, die erste theoretische Schrift, so P. Böckmann, die die Ablösung des Mimesis-Theaters, der alten Dramaturgie einleitet; man muß es aber auch in dem funktionalen Zusammenhang sehen, der zwischen Musik und epischem Theater schlechthin besteht: Musik nicht mehr als illusionistisches Stimmungsmoment, sondern miteinbezogen in die zentrale Geste des Zeigens, gleichsam einer der »Führer«, der das Publikum episch durch das Drama geleitet. Ihrer epischen Funktion gemäß soll sie hinweisen, belehren, das Geschehen erläutern, und nicht einfach nur gefühlsmäßig adäquate Stimmungen erzeugen. Es ist ja kein Zufall, daß Strindberg nicht etwa nur eine beliebige Musik›begleitung‹ vorsah, sondern ganz konkrete Musikstücke detailliert vorschrieb, ja bei Bedarf selbst komponierte (vgl. *Die Kronbraut*, S. 75).

Als Zwischenmusik zwischen dem Vorspiel, in dem der Gott Indra seine Tochter auf die Erde zu den Menschen sendet, und dem ersten Akt, in dem die Tochter ihre Wanderung durch die Welt antritt, schreibt Strindberg präzise den Satz »Gewitter mit Sturm« aus Beethovens ›Pastorale‹ (6. Sinfonie) vor (Brief v. 1. 4. 07 an Schering). Eine deiktische Absicht wird dem Kundigen deutlich: Die Epiphanie des Göttlichen vollzieht sich eben, alten mythischen Gesetzen zufolge, häufig in Begleitung von »Gewitter und Sturm«, die Erscheinung des Numinosen wird durch geheime Naturkräfte verdeutlicht. Wer freilich diese Zusammenhänge und das »Programm« von Beethovens Musik nicht kennt, dem bleibt die Lehre verschlossen; nur dem Eingeweihten »erzählt« diese Musik, nur für ihn wird sie episch, was freilich mit dem weltanschaulich-kultischen Charakter von Strindbergs späten Dramen zusammenhängt.

Die Geste des »Zeigens«, die der lehrhafte Charakter des epischen Dramas so zwingend erfordert, ist bei Strindberg freilich nicht nur durch die Musik gegeben, sondern ein Strukturprinzip seiner späten Dramen, das, wie M. Kesting ausführt, später direkt von Brecht übernommen wurde: »Brechts *Guter Mensch von Sezuan,* wo ein guter Mensch den Göttern die Welt zeigt, geht direkt von der Konstellation des Strindbergschen *Traumspiels* aus, wo der Tochter Indras die Welt gezeigt wird.«

P. Szondi sieht diese Geste des Zeigens beim *Traumspiel* durch die Revue-Struktur des Stückes begründet. Sie findet sich aber darüber hinaus auch außerhalb des *Traumspiels* in nahezu allen späten Stücken, ist also von der Revue-Struktur nicht abhängig, wohl aber von der lehrhaften Tendenz.

G. Brandell erklärt diese revuehafte Reihungsstruktur des Stücks als Illustration von »Strindbergs Lebensphilosophie durch eine Serie von Tableaus mit gleitenden Übergängen [...] Die verschiedenen Handlungsfragmente werden nicht zueinander in Beziehung gesetzt, und die Szenenfolge wird als ›unlogisch‹ und verwirrend empfunden«.

Strindbergs »Lebensphilosophie«, eine im *Traumspiel* besonders unentwirrbare Vermischung »von Buddhismus, Christentum, Platonismus, Okkultismus und Theosophie, von Platon, Schopenhauer, Hartmann und Swedenborg, von allem und jedem« (H. Müssener) kulminierte in den Wochen der Konzipierung des Dramas in der »buddhistischen« These, die ganze Welt sei »nur ein Schein [...] und ein Traumbild, ein Phantom, dessen Zunichtemachung die Aufgabe der Askese ist [...]

deshalb ist mein Traumspiel ein Bild des Lebens« (Okk. Tb. 18. 11. 1901). Diese Auffassung wird im Stück thematisiert, wenn die Welt als fehlerhafte Kopie eines Urbilds bezeichnet wird, und »Der Dichter« im entscheidenden Schlußgespräch mit Indras Tochter »die Welt, [...] ein Phantom, ein Schein, ein Traumbild« als *seinen* Traum erklärt. Diese Passage hat in der Forschung dazu geführt, den im »Vorwort« erwähnten Träumer mit der Dramenfigur des »Dichters« oder gar des Dichters = Autors = Strindbergs (so. H. Müssener) zu identifizieren. H. Lunin kommt dagegen zu dem Ergebnis: »Weder ein Träumer noch irgendein stufenartiger Übergang vom Traum zur Wirklichkeit sind aufzuweisen. Als träumendes Subjekt käme höchstens die Tochter Indras in Frage.« (Ähnlich V. Børge.)

Während die umstrittene Frage der »Traum«struktur des Stücks wohl nicht definitiv zu klären ist, sind andere Strukturmerkmale als Mittel der Episierung deutlich zu erkennen: Die Stationentechnik ist wieder aufgenommen, wobei die Spiegeltechnik aus *Nach Damaskus I* zwar nicht so mechanisch konsequent wie in diesem »Urbild«, aber doch in deutlichem Bezug zum Thema das Werk szenisch gliedert. Die Aufforderung des Advokaten an ›Die Tochter‹, sie müsse auf ihren »Spuren zurückkehren, denselben Weg zurückgehen«, korrespondiert mit den szenischen Dubletten (je zweimal Fingalsgrotte, Auftritt der Fakultäten usw.). Als Kontrast zu dieser horizontalen Weltgliederung fungiert die vertikale des Oben und Unten, der Abstieg der Tochter Indras zu den Menschen, ihre Elevation am Ende und die im Stück dominierende Abhängigkeit der Menschen von »den Mächten« »da oben«. Strindberg verlangte für die Realisierung dieses Weltenraums im Bühnenraum »Seitenkulissen, die das ganze Stück hindurch stehenbleiben«, in Form von »stilisierten Wandmalereien, zugleich Raum, Architektur, Landschaft«. Diese bewußte Abwendung von der Illusionsbühne wird durch die symbolisch-deiktische Verwendung von Requisiten unterstrichen. »Allegorisierende Attribute« genügen zur Bezeichnung der Schauplätze: »einige große Muscheln zeigen die Nähe des Meeres an, [...] eine Nummerntafel (Gesangbuchzahlen) ist die Kirche; Lorbeerkränze bedeuten die Promotion« (Dramaturgie). Die räumlichen Korrespondenzen liefern auch den Rahmen für Thematik, Motivik und Handlungsführung, zugleich aber auch für die verwirrende Fülle oft völlig heterogener Deutungsversuche des »Weltgehalts« des Stückes.

L. Marcuse hat schon 1919 auf die Eigengesetzlichkeit des Werkes verwiesen, für das Begriffe wie »Form und Inhalt nur ungenügende Abstraktionen« sind, das sich allen herkömmlichen Interpretationsmustern und -versuchen entzieht. Interpretationsversuche, die jeweils das spezifisch Christliche (z. B. B. v. Wiese) oder Buddhistische (H. Taub) des Stücks betonen, sind zwar sicher nicht generell falsch. Nur zielen sie an der synkretistischen Weltauffassung Strindbergs vorbei, in der als feste Dominante während dieser Lebensphase allenfalls ein mystischer Erlösungsgedanke auszumachen ist, verbunden mit einer demonstrativen Leidens- und Mitleidsideologie, wie sie im Schlüsselsatz der »Tochter«: »Es ist schade um die Menschen«, leitmotivisch durchgeführt wird.

Auch die Kategorien und Epochenbezeichnungen Realismus, Symbolismus, Expressionismus, Surrealismus, Absurdes Theater sind, obwohl sie alle als Faktoren das Stück mit konstituieren, nicht, wie vielfach versucht wurde, zu isolieren, da sie überhaupt erst durch Kombination ihren Stellenwert erhalten. Wenn H. Müssener zu Recht darauf hinweist, daß das »realistische Element« bei den Einzelszenen überwiegt, so darf doch nicht übersehen werden, daß durch die Reihung und Kombination realistischer Versatzstücke ein surrealistischer oder absurder Gesamteindruck entsteht. Ein Beispiel mag dies verdeutlichen: Die »Nebenfigur« Kristin (Christel) verrichtet eine durchaus realistische Alltagsarbeit, wenn sie die Fensterritzen mit Kleister verstreicht, um die Zugluft auszuschalten. Eine Wendung ins Absurde erfährt jedoch diese Szene von Beginn an durch das leitmotivische »Ich kleistere, ich kleistere«, mit dem Kristin das Gespräch zwischen Tochter und Advokat, an dem sie sich weiter nicht beteiligt, demonstrativ kontrapunktiert. Der Vorgang wird gleichzeitig symbolisch: die Luft wird ausgesperrt, Kristin kleistert, »bis sie nicht mehr atmen können«. In der Schlußszene, vor dem brennenden Schloß, erscheint Kristin dann noch einmal und will kleistern, »bis es nichts mehr zu kleistern gibt«. Die Deutungsmöglichkeiten reichen vom Psychologisch-Realistischen (Zwangshandlungen einer Irren) bis ins Magisch-Mystische (ewige Wiederkehr des Gleichen), wobei die Festlegung auf *eine* Interpretation die Dimensionen des Stücks entscheidend verengt, eine Prämisse, die für alle Personen, Szenen, Themen und Motive des Werks gelten muß.

Eine strukturelle »Handlung« im Sinne einer konventionellen Abfolge von Sinnzusammenhängen ist daher in diesem Stück nicht auszumachen. Die Form des Wege- und Wanderungsdramas ergibt freilich per se bereits ein Handlungsgefüge in Form von aneinandergereihten »Stationen«, die in einem komplizierten kompositorischen Beziehungssystem sich gegenseitig bedingen. Der »Weg« von Indras Tochter verläuft, wie H. Müssener nachgewiesen hat, »in der Gestalt einer Parabel, und ihm steht ›kontrapunktisch‹ die ›menschliche Treppe‹ mit ihren Gestalten gegenüber«.

Die Parabel beginnt mit der Herabsendung der Tochter durch Indra im »Vorspiel« und endet mit deren elevatorischer Rückkehr in die »höheren Regionen«. Diese beiden Rahmenszenen, deren Gebirgs-, Wolken- und Feuersymbolik Ankunft und Abschied des Numinosen »deuten« und bedeuten, sind bereits sprachlich durch poetische Überhöhung (Vers, Lyrismen, kostbare Bildersprache) vom übrigen Prosa-Text abgesetzt, der wiederum durch hymnische Intermezzi (Klage der Winde, Gesang der Wogen) sprachlich gegliedert wird.

In der »alltäglichen Sprache« (H. Müssener) des Prosateils werden die »Stationen« der Erdenwanderung von Indras Tochter dargestellt. Ein zweiter »Rahmen« – der mit dem ersten numinosen verschmilzt – umschließt diese Szenenfolge: das vieldeutige kryptische Symbol des »wachsenden Schlosses« (ursprünglich von Strindberg vorgesehener Werktitel), dessen bestechende Bildhaftigkeit sich jeder Enträtselung entzieht. Die erste Szene ihrer Epiphanie auf Erden zeigt die Tochter vor einem Schloß mit vergoldetem Dach und »einer Blumenknospe zuoberst, die einer Krone gleicht«. Man erwartet die Blüte des »immerfort aus der Erde« wachsenden Schlosses. In der Schlußszene bricht die »Blumenknospe auf dem Dach zu einer Riesenchrysantheme« in dem Augenblick auf, als die Tochter in das brennende Schloß hineingeht. Der Hintergrund, am Anfang ein »Wald riesengroßer Stockrosen in Blüte«, »zeigt nun eine Wand von fragenden, trauernden, verzweifelnden Menschengesichtern«.

Beginn und Ende dieses buddhistischen (?) Erlösungsdramas sind durch dieses poetische Symbol markiert, das in eindringlichem Kontrast zur »Erdensphäre« der anderen Stationen steht.

Als Mensch, in der Inkarnation der Tochter eines Glasermeisters (Glassymbolik!), lernt die Hauptfigur verschiedene Stationen menschlichen Daseins und vor allem menschlichen Leidens kennen, die allesamt als Versatzstücke früherer Strindbergscher Dramen und damit auch autobiographischer Vorgänge herauslösbar sind. Die Tochter begegnet dem Offizier, der Jahr um Jahr vergeblich in einem Theaterkorridor auf eine

Schauspielerin wartet. Dort befindet sich auch die geheimnisvolle, nie geöffnete Tür, hinter der man die Lösung des »Welträtsels« vermutet. Als schließlich am Ende des Stücks unter Beisein der Dekane aller Fakultäten (Wissenschaftssatire) die Tür geöffnet wird, enthält der dahinterliegende Raum das »Nichts« als »Lösung des Welträtsels«. Aus der Fülle der anderen Personen, denen die Tochter (»Agnes«) begegnet, Personen, die ihr meist die Welt »vorführen« (»epischer Gestus des Zeigens« [M. Kesting]), ragen stärker individualisiert Der Advokat und Der Dichter hervor, der eine als erdhaft-menschlicher, der andere als spiritueller Partner. Mit dem Advokaten verheiratet, durchlebt die Tochter – auf dem niedrigsten Punkt der Wegeparabel – die Abgründe des menschlichen Elends. Mit dem Dichter zusammen gelingt ihr schließlich – im Gegensatz zu den vergeblichen Versuchen aller Wissenschaften – die Lösung des Welträtsels: »Die Welt, das Leben und die Menschen sind also nur ein Phantom, ein Schein, ein Traumbild.« Nur Entsagung und Leiden befreien die Menschen »aus dem Erdstoff« (vgl. Goethes »Erdenrest«, *Faust II*).

Dieses relativ einfache, aufgrund des ideologischen Hintergrundes jedoch allzu leicht zu mystifizierende Grundschema wird gleichsam überwuchert von einer Fülle szenischer Inventionen, die etwa von der bizarren Konfiguration des Quarantänemeisters (vgl. »Quarantänemeister« in *Totentanz II*) im symbolischen Bezirk von Heiterbucht und Schmachsund (vgl. gleichnamige Novellensammlung [Fagervik och Skamsund], 1902) bis hin zur zweiten Szene in der Fingalsgrotte (= Indras Ohr) reichen, wo die Tochter und der Dichter bei dem Gesang von Wind und Wogen dem Gott »eine Bittschrift der Menschheit an den Herrscher der Welt, aufgesetzt von einem Träumer« vortragen.

Die verrätselte Präsentation von Personen und Szenerie hat eine Vielzahl von Deutungen herausgefordert, die, in sich oft schlüssig, einander bisweilen widersprechen. Indras Tochter wurde bald als »Gestalt christlicher Erlösung« oder als Paraphrase der Christus-Figur (u. a. V. Børge; B. v. Wiese), bald als Sprachrohr der Menschheit (G. Ollén) oder des Autors (M. Lamm), bald als tragische Heldin (D. Marcus) interpretiert; bei der Deutung der Szenerie geht E. Springchorn (zu Recht auf die Vorwegnahme Freuds in vielen Passagen verweisend) so weit, in der Grotte als »Szene der symbolischen Geburt« eine Chiffre für den Uterus und im Theaterkorridor für die Vagina zu sehen.

Der Zusammenhang und Zusammenhalt und damit auch die Grenzen des Interpretationsspielraums werden freilich durch die formale Einheit des Stückes markiert, eine Form, die Strindberg nachdrücklich als seine eigene »Erfindung« reklamierte (Brief vom 13. 6. 1902 an Schering).

Die enorme Wirkung auf das Drama des 20. Jh.s ist denn auch nicht so sehr auf das heterogene religiös-mystizistische Themen- und Motivgefüge, als vielmehr auf den innovatorischen Effekt der völlig neuen Form des Traumspiels zurückzuführen.

Ausgaben:

Sth. 1902 (zus. mit Kronbruden u. Svanevit). - Ss 36.

Ü:

I/8. - Frankfurt 1963 (Peter Weiss).

Aufführungen:

UA Sth. 17. 4. 1907. - Deutsche EA Berlin 17. 3. 1916. - Als Oper von A. Reimann, Kiel Juni 1965.

Literatur:

P. Böckmann: »Wandlungen der Dramenform im Expressionismus.« In: Untersuchungen zur Literatur als Geschichte. Fs. f. B. v. Wiese. Berlin 1973, 445–464. - V. Børge (4.5.2.2/1), 179–320. - Ders.: Der unbekannte S. Studie in nordischer Märchendichtung. Kopenhagen u. Marburg 1935, 75–94. - G. Brandell (4.2./3), 138–43. - C. Dahlström (4.5.1/4), 175–93. - H. Fa[ust]: Ett Drömspel. In: KLL 2, 1638 f. - R. Jarvi: »Ett Drömspel: A Symphony for the Stage«. In: SS 44 (1972), 28–42. - W. Johnson: »A Dream Play«: Plans and Fulfillment. In: Scandinavica 10 (1971), 103–111. - A. Jolivet (4.5.1/10), 299–307. - M. Kesting (1.2/13), 13–32. - M. Lamm: Dramer II (4.5.1/12), 307–336. - H. Lunin (4.5.1/13), 181–244. - L. Marcuse: Pessimismus und Dichtung. Noten zu S.s »Traumspiel«. In: Marsyas 1, II (1919), 161–74. - C. D. Marcus: A. S.'s Dramatik. München 1918. - H. Müssener: A. S. »Ein Traumspiel.« Struktur- und Stilstudien. Meisenheim am Glan 1965. - G. Ollén (4.5.1/15), 210–224. - F. Paul (4.5.2.2/9), 327 ff. - E. Springchorn: »The Logic of A Dream Play«. In: MD 5 (1962/63), 352–65. Auch in Reinert (Hg.) (4.1/5), 137–51. - P. Szondi (4.5.1/19), 50 ff. - H. Taub: S.'s »Traumspiel«. Eine metaphysische Studie. München 1917. - Ders.: S. als Traumdichter. Göteborg 1935. - Ders.: »Schopenhauer u. S.« In: Schopenhauer-Jahrbuch 37 (1956), 42–54. - E. Thomsen: »Bidrag til Tolknin-

gen af ›Ett drömspel‹.« In: Orbis litterarum 1 (1943), 81–110.
G. *Vogelweith* (4.5.1/20), 223–262. - B. *von Wiese:* »S. und sein
Traumspiel.« In: B. v. Wiese: Der Mensch in der Dichtung. Düssel-
dorf 1958, 246–260.

2.5.3. Kammerspiele (Kammarspel) (1907–09)

»Sowie ein Bühnenautor ein Theater zur Verfügung hatte,
entstand wirkliche Dramatik, angefangen bei Shakespeare und
Molière.« Bereits 1889 hatte Strindberg in seiner Programmschrift *Über modernes Drama* (s. S. 46) diese These vertreten
und war im gleichen Jahr mit seinem »skandinavischen Versuchstheater« gescheitert (vgl. S. 47). Am 26. November 1907
wurde der Traum von der eigenen Bühne mit der Eröffnung
des Intimen Theaters (Intima teatern) in Stockholm Wirklichkeit. Während des dreijährigen Bestehens – der kleine Zu-
schauerraum, ein umgebautes Lagerhaus, faßte nur 161 Personen (Falck) – wurden unter der Direktion des jungen Schauspielers und Regisseurs August Falck nur Werke Strindbergs
(insgesamt 24 Stücke) gegeben.

Die Gründung dieser Strindberg-Bühne war für den Autor
der eigentliche Anlaß, sich nach vierjähriger Pause wieder als
Dramatiker zu betätigen. Das neue Haus sollte mit einem
Zyklus von »Kammerspielen« ein seiner Größe angemessenes
Repertoire erhalten. Strindberg hatte den Namen der neuen
Gattung »Kammerspiel« von Reinhardts 1906 eröffneten Berliner Kammerspielen übernommen, zugleich aber mit einer
innovatorischen dramatischen Absicht verbunden: »Die Idee
der Kammermusik auf das Drama übertragen. Das intime Verfahren, das bedeutungsvolle Motiv, die sorgfältige Behandlung.
[...] Keine bestimmte Form soll den Dichter binden.« (Memorandum an die Mitglieder des Intimen Theaters.)

Innerhalb nur weniger Monate schrieb Strindberg im ersten
Halbjahr 1907 die vier Kammerspiele *Wetterleuchten* (Oväder),
Die Brandstätte (Brända tomten), *Gespenstersonate* (Spöksonaten) und *Der Scheiterhaufen* (eigentlich *Der Pelikan*) (Pelikanen) und gab ihnen, seinen von der Musik her bestimmten
strukturellen Intentionen gemäß die Bezeichnung Kammerspiele Opus 1–4; hinzu kam das Kammerspielfragment *Toten-
Insel* (1907, ohne Opusbezeichnung) und als Opus 5 eineinhalb Jahre später *Fröhliche Weihnacht* (eigentlich *Der schwarze Handschuh*) (Svarta handsken). Weitere 20 Kammerspiele
waren geplant.

Das musikalische Kompositionsprinzip der Kammerspiele, »Sonaten in Worten, die in verschiedenen Tonarten geschrieben sind« (W. A. Berendsohn in: August Strindberg 1974), mit besonderer Bedeutung der »Pausen« (G. Lindström), verweist auf die Gattungsgrenzen hin zum Lyrischen und Epischen, die in diesen Stücken tangiert werden. Man kann diese Werke mit ihrer bewußt losen szenischen Komposition (die Akteinteilungen mehrerer deutscher Übersetzer sind nicht authentisch!) zum Teil im Zusammenhang mit dem Lyrischen Drama des fin de siècle, zum Teil als Vorläufer von Brechts Epischem Drama sehen. Die in der Kammerspiel-Theorie angeführte Idee der Reduzierung und Konzentrierung von Thematik, Motivik, Ausstattung und (nicht konsequent durchgeführt) Personal geht freilich zurück bis auf die experimentellen ›Quarts d'heure‹ von 1889 (s. S. 47); sie wurde während der dramatischen Pause von 1903–07 mit der Idee einer Miniaturwanderbühne von höchstens drei Personen wieder aufgenommen. Harriet Bosse sollte dabei in neuen Monodramen (u. a. Indras Tochter, Maria Stuart) besondere (lyrische) Entfaltungsmöglichkeiten erhalten. Die Gründung des Intimen Theaters und die Abfassung der Kammerspiele waren also auch der »Schlußpunkt einer Kette von gleichartigen Bemühungen« (E. Pilick).

Von den früheren dramatischen Experimenten (1889) unterscheiden sich die Kammerspiele freilich trotz Affinitäten in Form und Thematik dadurch, daß »der Naturalismus ganz überwunden ist« (P. Hallberg). Man hat die Stücke zu Recht dem expressionistischen, surrealistischen und sogar absurden Theater zugerechnet, und ihr Einfluß – besonders der der *Gespenstersonate* – auf das moderne Drama ist kaum abzuschätzen. Trotzdem bieten diese Etikettierungen allenfalls Annäherungswerte, da Strindberg hier in Anlehnung an Shakespeare eine besondere »Kunstlosigkeit in der Kunst«, Formlosigkeit und Durchstrukturierung in einem intendierte. In den – meist negativen – Kritiken zu den Uraufführungen wurde dieses neue Strukturprinzip erkannt und verkannt. »Planlos und ohne feste dramatische Konsistenz«, nannte der Romancier Bo Bergman *Wetterleuchten*; die *Brandstätte* überschreitet einem schwedischen Kritiker zufolge »die Grenzen zum Abnormen«, und im *Scheiterhaufen (Der Pelikan)* vermißt er »reelle Konflikte, dramatische Verve und Kraft«. Die vermeintlichen Mängel waren freilich die thematische und poetologische Basis der neuen Gattung.

Bereits im ersten Stück *Wetterleuchten* fällt die Handlungs-

»armut«, die Nähe zum lyrischen Drama auf. Daneben sind völlig verformte und verfremdete Relikte des analytischen Dramas, der Ibsenschen Enthüllungsdramaturgie erkennbar, wenn, wie auch in den anderen Kammerspielen, die Geheimnisse eines Hauses aufgedeckt werden sollen. Wenn die Kammerspiele »in oder um ein und dasselbe Haus spielen« (E. Pilick), vor der Fassade *(Wetterleuchten, Gespenstersonate)* oder vor der niedergebrannten Hausruine *(Brandstätte)*, so ist darin die sogenannte aristotelische Poetik der Einheit von Ort und Zeit zwar äußerlich verwirklicht, zugleich aber durch das episierende Element des Zeigens auf diese Häuser und des Vorzeigens der darin ablaufenden »Schicksale« pervertiert. Mit der Vorführung dieser »modernen« Häuser (Strindbergs autobiographisches Vorbild: der gründerzeitliche Stockholmer Stadtteil Östermalm) wird nicht nur die Simultanbühne, sondern auch das Kollektivtheater vorweggenommen: Nicht *ein* Schicksal, sondern *Schicksale* werden auf bizarr verfremdende Weise »vorgeführt«, wobei das statisch-handlungsarme Element durch die Erneuerung antinaturalistischer Techniken hervorgerufen wird: Durch Lektüre von Clavigo, Stella usw. sei er, schrieb Strindberg am 24. 4. 1907 an Schering, in seinen Kammerspielen zurückgekommen auf »die *langen* Repliken und Monologe«.

Diese Verfahrenstechniken bewirken bereits in *Wetterleuchten* gleitende Übergänge zwischen dramatischem, epischem und lyrischem Ich. Wie auch in den anderen Kammerspielen werden die traditionellen Expositionsformen dadurch ergänzt, daß eine oder mehrere Personen »die Geschehnisse auf der Bühne kommentieren« (G. Lindström), Personen freilich, die noch keine souveränen Epiker im Sinne des Epischen Theaters, sondern abhängige, involvierte dramatis personae sind.

Wetterleuchten behandelt – stark autobiographisch – in drei losen Szenen die Geschichte – oder besser die Fragmente der Geschichte – einer gescheiterten Ehe. Diese späten Reflexe des »Geschlechterkampfs« werden in resignativ-nihilistischem Konversationston abgehandelt: »Es gibt keine Gegenwart, was jetzt vor sich geht, ist das leere Nichts.«

Vor der Fassade eines geheimnisvollen Hauses, in dem man einander nicht kennt, in dem – kafkaesk – unbekannte Leichen abgeholt werden, führen abwechselnd »der Herr«, »der Bruder« und ein Konditor die Bewohner und »die Chronik des Hauses vor«. Ein rätselhafter Mieter, Herr Fischer, Inhaber eines Tanzklubs, entpuppt sich bald als der zweite Gatte der geschiedenen Frau des »Herrn«. Dieser Ansatz einer Intrigenhandlung (die Frau, mit ihrem Kind aus erster Ehe von ihrem zweiten Mann mißhandelt, möchte zu ihrem Mann zurückkehren; dieser lehnt ab. Eine Entführungsgeschichte zwischen dem zweiten Ehemann und der Tochter des Konditors) hat kaum noch dramatische Funktion, zeigt vielmehr, wie Strindberg traditionelle Handlungsfragmente collageartig montiert. Am Ende hat sich das titelgebende Gewitter verzogen, alles hat sich »aufgeklärt«: Die Tochter des Konditors ist zurückgekehrt, da der »Verführer« nur Fahrkarten 3. Klasse kaufen konnte; die Ehefrau reist mit dem Kind zu ihrer Mutter. Für den »Herrn« bleibt »die Ruhe des Alters«.

Im Kammerspiel op. 2 *Die Brandstätte* (Brända tomten), das ursprünglich den an Wagner erinnernden Titel *Die Weltweberin* (Världväverskan) tragen sollte, liegt das vorzuführende Haus als niedergebrannte Ruine bereits »offen« da. Auch hier ist die dramatische Grundsituation durch das »Verhältnis von Reden und Verschweigen« (E. Pilick) gekennzeichnet, wobei das »Verschweigen« bei der Suche nach dem Brandstifter zugleich dramatisch-funktional den müden Ansatz einer Kriminalhandlung stützt. Die Enthüllungsdramaturgie in Fetzen legt vor den Trümmern des Hauses die Fragmente von Handlung und Schicksalen vor; aus den Handlungsfetzen, die noch bizarrer montiert sind als in op. 1, schält sich als Haupt»handlung« heraus: Der unbekannte Fremde, Bruder des »Färbers«, kehrt im Augenblick des Brandes unerkannt wie Odysseus nach langem Umherreisen in der Welt zurück, und rekapituliert Kindheit, Jugend, Leben und entdeckt, »daß alle Schnörkel ein Muster bilden, einen Namenszug, ein Ornament, eine Hieroglyphe, die man jetzt erst deuten kann. Das ist das Leben! Die Weltweberin hat es gewebt!« Zugleich werden die Geheimnisse und Verbrechen der Hausbewohner enthüllt. Wie in der *Gespenstersonate* wird die morbide Stimmung durch die Lichtgestalt des »Studenten«, eines Findelkinds (Typ des unerkannten jungen Gottes?), der vielleicht ein Sohn des Fremden ist, aufgehellt. Der Fremde, beinahe allwissender Epiker, löst in der zweiten Szene vor dem blühenden Garten der nun symbolisch abgerissenen Ruine die Probleme und Konflikte, indem er u. a. die falschen Anschuldigungen gegen den Studenten entkräftet und das »Netz, das nicht von Menschenhand geknüpft ist« entwirrt und dann als Wanderer »wieder hinaus in die weite Welt«, ganz mythische Gestalt, enteilt.

Dieses theosophische Weltbild wird auch in opus 3, der *Gespenstersonate* (Spöksonaten) deutlich: In einem Brief vom

27. 3. 1907 an Schering gab Strindberg dem Werk den Untertitel »Kama Loka« (Sanskrit: »die Region des Begehrens«). Das Stück sei »schauderhaft wie das [von der Weltweberin gewebte] Leben, wenn die Schuppen von den Augen fallen und man Das Ding an Sich sieht«. Unter dem Eindruck, dies seien seine »letzten Sonaten« (vgl. R. Jarvi), und in Anlehnung an »Beethovens Gespenstersonate d-moll und sein Gespenstertrio« wählte Strindberg den Titel »Gespenstersonate«: »Ich wußte kaum selbst, was ich geschaffen hatte« (Brief an Schering vom 1. 4. 1907).

Die *Gespenstersonate* ist als zweifellos bedeutendstes Werk des Zyklus zum Prototyp surrealistischer Verfahrensweisen und damit Gegenstand zahlreicher Deutungsversuche geworden.

P. Szondi sieht in dem Stück den »Ursprung der modernen epischen Dramatik«; mit der Figur des Direktor Hummel stehe »wohl zum erstenmal [...] das epische Ich selber auf der Bühne«. Szondi kann allerdings nicht verstehen, warum »Strindberg diese formale Funktion seiner Gestalt nicht bewußt wurde«. Diese von Szondi selbst als unbefriedigend empfundene These von der »unbewußten« Einführung des Epikers auf dem Theater gilt es zu widerlegen, wenn man glaubhaft machen will, daß Strindberg in einem bewußt innovatorischen Akt das epische Element ins Drama eingeführt hat, im übrigen bereits *vor* der *Gespenstersonate*. Hilfreich ist dabei ein Brief vom 6. 5. 1907 an Schering, in dem es um die Dramatisierung von Strindbergs Prosawerken geht:

»Da mir nämlich die Theater lange verschlossen waren, verfiel ich darauf, meine Dramen in epischer Form zu schreiben – zu künftigem Gebrauch [...] Jetzt meine ich, daß man, mit neueren freien Begriffen vom Drama, die Erzählungen genau so nehmen könnte, *wie sie sind!* Das wäre neu! – Die Szenen wechseln dann [...] die Reflexionen des Autors werden Monologe. Oder man könnte auch eine neue Person einführen (die dem Chor der Griechen entspricht), und das wäre – der Souffleur, halb sichtbar, der die Schilderung (von Landschaften usw.) vorliest und erzählt oder reflektiert, während sich die Szenerie ändert. (Soweit man nämlich dieses Hilfsmittel anwenden muß.) Mit einem Bogen, der durch das ganze Stück stehen bleibt, [...] ginge alles.«

In diesen wenigen Sätzen, die atemberaubend dicht sind, werden Brechts Forderungen an das epische Theater, abgesehen von dessen politischem Anspruch, weitgehend vorweggenommen. In der *Gespenstersonate* ist dieser Epiker noch als dramatis persona (Direktor Hummel) verkappt.

Im Verlauf des Geschehens verknüpft dieser »allwissende« Hummel die verschiedenen Personen und Schicksale miteinander, auch hier noch der unabhängige, souveräne Arrangeur, dem Romanerzähler gleich, der seine Figuren beliebig anordnen kann; am Ende des zweiten Akts aber wird er unerwartet und unwillentlich in die Handlung involviert, nach Szondi der verhängnisvolle Bruch in der epischen Grundstruktur: »Dieser quälend mißlungene Schluß eines einzigartigen Werkes ist allein aus der Übergangssituation der Dramatik, die es markiert, zu begreifen: die epische Struktur ist schon da, aber noch thematisch verbrämt und so dem Handlungsablauf ausgesetzt.«

Szondi sieht den Bruch, wie schon erwähnt, auch darin begründet, daß Strindberg gar nicht erkannt habe, daß mit der Figur des Hummel »zum erstenmal [...] das epische Ich selber auf der Bühne« steht, daß also damit unbewußt jene Spielleiterfigur geschaffen wurde, wie wir sie vom epischen Theater her kennen. Der bereits erwähnte Brief aus dem Entstehungsjahr der *Gespenstersonate,* in dem Strindberg den halb sichtbaren Souffleur als Erzähler einführen will, zeigt aber doch deutlich, daß sich Strindberg der Möglichkeiten der Episierung recht bewußt war, daß er »bereits im Jahre 1907 sehr bewußt an jene dramaturgischen Möglichkeiten heranging, die nur wenige Jahre später von Erwin Piscator, Bertolt Brecht, Paul Claudel u. a. ausgebildet [...] wurden« (H. Lunin).

In seiner Werkmonographie geht P. Fraenkl auf diese neuen dramaturgischen Möglichkeiten kaum ein, er weist aber, zwischen lyrischer und dramatischer Phantasie unterscheidend, eine Reihe weiterer Innovationen (u. a. Bedeutung und dramatische Darstellung des »Schweigens« und »Stummseins«) und ein Grundmuster »szenenmagischer« und mythologischer Assoziationsmuster nach: Der im Rollstuhl fahrende Direktor Hummel, eine pervertierte Don-Juan-Figur, als der Gott Thor mit seinem Streitwagen; die todverkündende »Walküre«, die mit dem leitmotivischen Opernbesuch von Wagners *Walküre* introduziert wird. Das »Fräulein« schließlich, die, wie Brünnhilde, zu erweckende schlafende »Göttertochter« (L. Leifer). Diese Assoziationsketten sind freilich nicht völlig eindeutig (zur Walküre gehört Wotan und nicht Thor), zumal die »Auflösung« der klassischen, stabilen »Charaktere«, die Depersonalisierung der Figuren, die in den Kammerspielen am weitesten fortgeschritten ist, dazu führt, daß die Menschen als »Gespenster« »zu Erscheinungen erstarrt« sind (D. Schings). Die Identität nahezu aller Figuren ist unklar und fragwürdig; Anni Carlsson sieht in ihnen ausschließlich Projektionen des Strindbergschen Ichs. In keinem der anderen Kammerspiele sind die fragmentarischen Versuche zu einer analytischen Aufdeckung früherer Vorgänge (alte Schuld, unerkannte Verbrechen) und damit zu einer Auffüllung des Statischen mit »Handlung«, von surrealistischen, grotesken und absurden Versatzstücken und Montagen so überwuchert wie in der *Gespenstersonate:* Das von Hummel ermordete unsichtbare »Milchmädchen«, das nur der »Student« als Sonntagskind, als »Adam-Figur« des ersten Schöpfungstages (M. A. Mays), sehen kann; die Frau des Obersten, die als »Mumie« seit Jahrzehnten im Wandschrank haust und wie ein Papagei spricht, die uralte Verlobte Hummels; alles ist »furchtbar verwickelt«. Hummel selbst, der dem Studenten das Haus »vorführt«, »spielt mit Menschenschicksalen«, verliert aber in der zweiten Szene beim »Gespenstersouper« seine Macht, nachdem er, alle entlarvend, selbst entlarvt wird. Die »Mumie«, seine ehemalige Geliebte, wird zur Todverkünderin; Hummel erhängt sich hinter dem vorsorglich aufgestellten Totenschirm. Die von Szondi für überflüssig gehaltene dritte Szene im Hyazinthenzimmer, ein von »Pausen, Monologen, Gebeten durchbrochene[s], verzweifelt umherirrende[s] Gespräch«, zeigt die Unmöglichkeit jeglicher Befreiung. In dieser durch Lyrismen stilistisch vom übrigen Text abgesetzten Liebesszene zwischen dem Studenten und dem Fräulein (der Tochter Hummels), Hamlet und Ophelia in Strindbergs Shakespeare-Auffassung (E. Törnqvist), findet ein absurder Dialog der Desillusionierung statt, der »zugleich das Drama als ein Unmögliches zum Vorschein bringt« (D. Schings): Denn Aussprache bedeutet für das Mädchen »Tod«, und sie stirbt schließlich wie der Vater hinter dem Totenschirm. Strindberg genügten dabei nicht mehr die erläuternden Worte des als Epiker fungierenden Studenten. Die Sprachlosigkeit illustriert ein Bild: »Böcklins Toteninsel wird Hintergrund« (und damit wird ein ganzer »Fortsetzungsroman« [vgl. Fragment *Die Toteninsel*] angedeutet). In einem Brief an Schering hat Strindberg die deiktisch-episierende Technik noch vertieft, indem er, Brechts »Einblendungen« lange vorwegnehmend, Schering vorschlug, man solle eine Feuerschrift mit einem Zitat aus der Apokalypse (»Und Gott wird abwischen alle Trauer [...] und der Tod wird nicht mehr sein«) über der Toteninsel erscheinen lassen, von der »angenehm traurige« Musik zu hören ist, eine Musik, die die Kreisbewegung des Stücks, so J. R. Northam, durch die Wiederholung der Anfangssituation (Orgelmusik usw.) signifikant macht.

Das Motiv des Vampirismus, das alle vier Kammerspiele von 1907 verknüpft, wird in opus 4 *Der Scheiterhaufen* (eigentlich: *Der Pelikan*) (Pelikanen) zum Hauptthema. Autobiographische Obsessionen schimmern durch, wenn in *Wetterleuchten* die Mägde dem Herrn schlechte Speisen anbieten, in der *Brandstätte* die Köchin ein Drache und in der *Gespenstersonate* ein fettes Riesenweib ist, das als Mitglied der »Vampirfamilie Hummel« das Fräulein aussaugt, weil sie Fleisch und Suppen jede Kraft entzieht; im *Scheiterhaufen* schließlich wird die Figur der vampirartigen Mutter (ironisch: der Pelikan), die, selbst »fett wie eine Tonne«, Tochter und Sohn Heizung und Essen entzieht, derart dominant, daß sie in diesem »dramatisch stärksten Kammerspiel« (M. Lamm) die Kinder zu »Schlafwandlern« (Strindberg an Schering) macht.

Das Stück (mit seiner präzis vorgeschriebenen Musik) knüpft in seiner Geschlossenheit (3 Szenen in einem Salon) formal am deutlichsten an die naturalistischen Kurzdramen von 1889 an, in der grotesken Thematik, der Handlungs»armut«, der freien Assoziationstechnik ist es freilich ein Meisterwerk der neuen Gattung, und in seiner Beschränkung auf nur fünf Figuren recht eigentlich erst *das* Kammerspiel, wie es Strindberg in seiner Theorie exponiert hatte.

Das »Enthüllungsdrama«, das durch den Tod des Hausherrn in Gang gesetzt wird, zeigt in den von der Mutter gepeinigten Geschwistern, dem der Mutter geheimnisvoll-erotisch verbundenen Schwiegersohn und dem als »Revenant« allgegenwärtigen Vater zwar verfremdete Reflexe des Ibsenschen Familienstücks, tatsächlich aber ein groteskes Gewebe – nur tiefenpsychologisch – deutbarer Handlungen und Verweigerungen, Gegenständen und Versatzstücken, etwa die Chaiselongue, auf der der Vater gestorben, »ermordet« worden ist, für die Mutter, Klytemnästra gleich, eine »blutige Schlachtbank«; der Vater bleibt jedoch ungerächt, da die Kinder als Schlafwandler und »Geisterseher« zu einer Elektra-und-Orest-Tat nicht geschaffen sind und am Ende – die Mutter hat sich aus dem Fenster gestürzt [gerettet oder tot?] – in einer bürgerlichen Götterdämmerung in einer selbstentzündeten Feuersbrunst untergehen, wobei in grotesker Weise Mutterbindung und Urmutteridee das Vampirerlebnis verdrängen: »Ohne Mama ist es nichts...« Der Tod als Befreier und das Feuer »als das große mystische Symbol der Kammerspiele« (L. Leifer) sind hier leitmotivisch »enggeführt«, und betonen als durchgehende kontrapunktische

Elemente im »kompositorischen« Überbau den zyklischen Charakter der Kammerspiele op. 1–4 von 1907.

In Thematik und Technik kaum anzuschließen an diesen Zyklus ist das eineinhalb Jahre später entstandene Kammerspiel opus 5 *Fröhliche Weihnacht* (eigentlich: *Der schwarze Handschuh*) (Svarta Handsken) (1909), so daß bisweilen die Authentizität der Zuweisung zu den Kammerspielen und der Opusbezeichnung bestritten wurde. Originalhandschrift und Erstausgabe lassen jedoch kaum Zweifel. Das schwer zugängliche Stück steht mit seiner Thematik (Der Weihnachtsmann schafft als arrangierender deus ex machina den verloren gegangenen Handschuh und den Ring wieder und stiftet allgemeine Versöhnung) und der Versform dem ein Jahr zuvor entstandenen Märchenspiel *Abu Casems Pantoffeln* (Abu Casems tofflor) (1908) näher als den Kammerspielen von 1907. Der Untertitel »Lyrische Phantasie für die Bühne« wurde von R. Jarvi im Zusammenhang mit der Musikalisierung (Strindberg schreibt exakte deiktische Musik von Beethovens Klaviersonate op. 106 bis zu Sindings sentimentalem »Frühlingsrauschen« vor!) gesehen, eine Affinität zur Gattung des lyrischen Dramas ist angesichts der gleitenden Übergänge vom dramatischen zum lyrischen Ich sicherlich auch gegeben.

Obwohl das Stück durch die Versform und die (banale) Intrigenhandlung »gebunden« erscheint, ist die Auflösung traditioneller Dramenformen so weit fortgeschritten wie kaum in einem anderen Stück Strindbergs: Der extrem kurze zweite Akt besteht außer aus einem deiktisch-epischen und zugleich lyrisch-reflektierenden Monolog des Weihnachtsmanns nur aus einer langen, von Geräuschen (Musik, Kindergeschrei, Wasserbrausen, Menschenstimmen) begleiteten, genau ausgeführten Pantomime, wenn man will, dem vielleicht ersten »Filmdrehbuch« der Literatur. Im Vergleich zu dieser bedeutenden Innovation tritt der auf Strindbergs synkretistischen Anschauungen basierende »Weltgehalt« des Stückes (Ein geheimnisvoller Alter »ordnet« in unzähligen Papieren seit 60 Jahren [Strindbergs Lebensalter!] die Welt und sucht und findet die Lösung des Welträtsels: »Daß alles Einheit ist . . .«) etwas zurück.

Strindberg selbst hat in den beiden Schriften *Memorandum an die Mitglieder des Intimen Theaters vom Regisseur* (Memorandum till medlemmarne av Intima teatern från regissören) (1908) und *Offene Briefe ans Intime Theater* (Öppna bref till intima teatern) (1909) (dt. in VI/4 u. VIII/2) nicht nur einen Autorkommentar zu den Kammerspielen geliefert, sondern sich auch mit Inszenierungsproblemen und Fragen der Dramaturgie an Beispielen aus dem eigenen Werk und der Weltliteratur auseinandergesetzt.

Ausgaben:

Opus 1–4: Sth. 1907. - Opus 5 Sth. 1909. - Ss 45.

Ü:

I/9 (Opus1–4); I/10 (Opus 5).

Aufführungen:

»Wetterleuchten«: UA Sth. 30. 12. 1907. Deutsche EA Dresden-Neustadt 18. 5. 1912.
»Die Brandstätte«: UA Sth. 5. 12. 1907. Deutsche EA München 18. 5. 1917.
»Gespenstersonate«: UA Sth. 21. 1. 1908. Deutsche EA München 1. 5. 1915.
»Der Pelikan« (Scheiterhaufen): UA Sth. 26. 11. 1907. Deutsche EA Wien Nov. 1908.
»Der schwarze Handschuh« (Fröhliche Weihnacht): UA Tourneetheater Schweden Dez. 1909. Deutsche EA Berlin 1918.

Literatur:

S. Bandy: »S.'s Biblical Sources for ›The Ghost Sonata‹.« In: SS 40 (1968), 200–209. - *A. Carlsson:* Spöksonaten. S.'s »Når vi døde vågner«. In: Skandinavistik 5 (1975), 26–41. - *C. E. W. L. Dahlström* (4.5.1/4), 194–204. - *C. J. Elmquist:* S.'s Kammerspil. København 1949. - *A. Falck:* Fem år med S. (4.3.1/4). - *O. M. Fotana:* »S.'s Kammerspiele 1–5.« In: Die schöne Literatur, Beil. z. Liter. Zentralbl. f. Deutschland, 1908, sp. 265–268, 281–285. - *H. Fa[ust]:* Brända tomten. In: KLL 1, 1810 f. - *P. Fraenkl:* S.'s dramatiske fantasi i »Spöksonaten«. En stildramaturgisk undersøkelse. Oslo 1966. - *P. Hallberg:* »S.'s kammarspel.« In: Edda 45 (1958), 1–21. - *J. C. Hortenbach* (4.5.1/8), 138–141 (»Der Pelikan«). - *R. Jarvi:* »S.'s ›The Ghost Sonata‹ and Sonata Form.« In: Mosaic (Winnipeg) 5 (1972), H. 4, 69–84. - *R. Jarvi:* »›Svarta Handsken‹: A Lyrical Fantasy for the Stage.« In: Scandinavica 12 (1973), 17–25. - *M. Kesting:* »Der Abbau der Persönlichkeit« (4.5.2.2/6), 220–223 (Gespenstersonate). - *R. Ke[jzlar]:* Spöksonaten. In: KLL 6, 1843 f. - *M. Lamm:* Dramer II (4.5.1/12), 357–412, 423–428. - *L. Leifer:* »Den lutrende ild. En studie i symbolikken i S.'s Kammerspil«. In: Samlaren 81 (1960), 168–194. - *G. Lindström:* »S.'s Chamber Plays, Opus 2 ›After the Fired«. In: (4.1/8), 49–64 (schwed. 131–143). - *G. Lindström:* »Dialog och bildspråk i S.'s Kammerspel«. In: 4.1/6, 167–179. - *H. Lunin* (4.5.1/13), 245–268. - *M. A. May:* »S.'s Ghost Sonata: Parodied

Fairy Tale on Original Sin.« In: MD 10 (Sept. 1967), 189–94. - *B. M[eyer]-D[ettum]:* »Ováder«. In: KLL 5, 1207 f. und »Pelikanen«. In: KLL 5, 1635–37. - *J. R. Northam:* »S.'s Spook Sonata«. In: (4.1/8), 39–48. - *E. Pilick:* S.'s Kammerspiele. Ein Beitrag zur Dramaturgie des intimen Dramas. Phil. Diss. Köln 1969. - *B. Rothwell:* »The Chamber Plays.« In: 4.1/8, 29–38. - *D. Schings:* Über die Bedeutung der Rolle als Medium der Entpersonalisierung im Theater des 20. Jh.s. Strindberg – Pirandello – Brecht – Ionesco. Phil. Diss. Berlin 1968, 23–42. - *G. Stockenström:* »The Journey from the Isle of Life to the Isle of Death«: The idea of reconciliation in The Ghost Sonata. In: SS 50 (1978), 133–149. - *P. Szondi* (4.5.1/19), 54–57. - *E. Törnquist:* Bergman och S.'s Spöksonaten – drama och inscensättning. Dramaten 1973, Sth. 1973. - *E. Törnquist:* »Hamlet och Spöksonaten«. In: MfS 37 (1965), 1–17. - *R. B. Vowles:* »S.'s Isle of the Death«. In: MD 5 (1962/63), 366–378.

2.5.4. Die große Landstraße (Stora landsvägen) (1909)

Titel und Untertitel (»Ein Wanderungsdrama in sieben Stationen« – »Ett vandringsdrama med sju stationer«) von Strindbergs letztem, schwer zugänglichem, esoterischem Drama verweisen noch einmal auf die ein Jahrzehnt zuvor initiierte Stationentechnik.

Wieder werden die ursprünglich rein epischen Motive des Weges und des Wanderns strukturbildende Elemente. Ähnlich wie in *Ein Traumspiel* ist die von der Hauptfigur, dem ›Jäger‹ begangene Wegstrecke eine (symbolische) Parabel von der Alpenszene der ersten Station als Ausgangspunkt über die Stadtszene (4. Station), der in der Symmetrie »tiefsten« Szene, zurück zur siebten Station »Der dunkle Wald«, in der der Endpunkt der Weg-Parabel angedeutet wird:

> »Die letzte Fahrt zum fernen Land –
> dem Lande der erfüllten Wünsche,
> das von der Alpen Höhe schimmerte
> [. . .] in klarer Luft –
> beim Eremiten; dort ich bleibe,
> erwarte die Befreiung!«

In seltsamer Korrespondenz zu dieser epischen Grundstruktur, zu der auch die Gestalt des als »Begleiter« fungierenden »Wanderers« zu rechnen ist, steht die weitgehende »Lyrisierung« des Textes, wobei nicht nur die Handlungsarmut und der geglückte Versuch, »Stimmungen« zu dramatisieren auf das lyrische Drama des fin de siècle verweisen, sondern auch der kennzeichnende Wechsel von Prosa und Vers, der häufig die Übergänge des dramatischen Rollen-Ichs in ein lyrisches Ich markiert, sowie die Affinität zum Monodrama. Hierzu sind nicht nur die großen »lyrischen« Monologe des Jägers zu rechnen, sondern auch der pseudodramatische »Hakenstil« vieler Dialogpartien, für den P. Szondi die zutreffende Bezeichnung »Epik für zwei Stimmen« geprägt hat. Ein, oft simpler, Gedankengang wird fortlaufend von zwei Dialogpartnern exponiert, das Wesen des Dialogs (Kommunikation) dabei – sicher bewußt – selbst in Frage gestellt. Diese Kompositionstechnik des »polyphonen Monologs, der als Scheindialog zwischen dem Jäger und den anderen Bühnenfiguren seinen monodramatischen Grundzug nur schwer verbergen kann« (R. Volz), könnte dazu verführen, in den anderen Figuren (allesamt vorexpressionistische Typen: der Eremit, der Schulmeister, der Japaner, der Mönch) nur Verdoppelungen des dramatisch-episch-lyrischen Ichs des Jägers zu sehen. Dies verbietet jedoch die kaum verhüllte autobiographische Handlungsstruktur einer teilweise dechiffrierbaren Lebensrückschau und »Abrechnung« mit den Feinden.

Die »Beifiguren« sind daher, mit Ausnahme des in der vierten Station endgültig abtretenden »Wanderers« (ein Kompositionsfehler?), von M. Lamm wohl zu Recht als »wesenlose Schatten, teils Doppelgänger, teils Kontrastfiguren« des Jägers bezeichnet worden. Vermummt in der mythischen Gestalt dieses »Jägers« durchläuft Strindbergs alter ego allegorische Stationen (In den Alpen, Bei den Windmühlen, In Eselsdorf, Eine Passage in der Stadt, Park vorm Krematorium, An der letzten Pforte, Der dunkle Wald), die allesamt Versatzstücke von Strindbergs früheren Verrätselungen (Mühlensymbolik, Feuersymbolik usw.) zu sein scheinen. Für das Verhältnis zwischen Realismus, Surrealismus und Absurdem hat Strindberg jedoch noch einmal eine neue zukunftsweisende Konstellation gefunden: Wenn etwa im *Traumspiel* die einzelnen Szenen durch einen logisch-realistischen Dialog strukturiert waren, der auch das Surrealistische (etwa das »wachsende Schloß«) als »natürlich« erscheinen ließ, wobei das Absurde erst durch die Nebeneinandermontage dieser Szenen entstand, so ist das Verfahren in der *Großen Landstraße* völlig anders und neu:

Der Pseudorealismus der »Handlung«, nur am Ende durch das Auftreten des »Versuchers« in mythische Dimensionen »entrückt«, wird teilweise durch Dialoge entlarvt, die keineswegs mehr nur Vorstufen des absurden Theaters sind, sondern vielmehr vollständig dessen sprachliches Arsenal vorwegnehmen und mit Hilfe sinnloser Assoziationsketten (vgl. Dialog Wanderer, Schmied, Schulmeister) die Unmöglichkeit jeder Kommunikation signalisieren. Diese Gestaltungsweise ist eine Fortschreibung früherer Techniken bis an die Grenzen, an denen Drama gerade noch möglich ist; man kann darin unschwer die Signaturen Strindbergscher Kunst, aber auch die des ganzen 20. Jh.s erkennen. Die Kontrastwirkung solcher absurder Dialogie zur lyrischen Grundstruktur des Werkes wird in der Originalsprache noch deutlicher, da sich S. in den Versmonologen, vor allem im großen »Abschied« der Schlußszene als unvergleichlicher Lyriker erweist, von dessen Sprachkunst die deutsche Übersetzung kaum einen bescheidenen Abglanz gibt. Der »Abschied«, begleitet von Musik (Chopins Nocturne, op 48, 1) und damit noch einmal die Musikalisierung der Poesie bezeichnend, wurde, wohl nicht zu Unrecht, auch als »Abschied« Strindbergs von Welt und Kunst verstanden. Das Leidenspathos ebbt in einer schmerzlich resignativen Gebärde der Religiosität aus. Die ergreifende Geste des Abschiednehmens, die Zeremonie der »letzten Worte« behält freilich einen für Strindberg so charakteristischen Hauch von Attitüde, von theatralischem Auf-Sich-Zeigen, der das Stück durchaus auch als Endpunkt der Nachinfernodramatik ausweist:

> »O Ewiger! Ich lasse deine Hand nicht,
> die harte Hand, bis du mich segnest!
> O segne mich, o segne deine Menschheit,
> die leidet, leidet unter dem Geschenk des Lebens!
> O segne mich, der litt am meisten –
> der litt am meisten unterm Schmerz,
> nicht sein zu können, der er wollte sein!«

Ausgaben:

Sth. 1909. - Ss 51.

Ü:

I/10.

Aufführungen:

UA Sth. 19. 2. 1910. - Deutsche EA: 1923.

Literatur:

A. *Janzén:* »The Title of S.'s Last Drama.« In: SS 34 (1962), 278–279. - A. *Jolivet* (4.5.1/10), 332–335. - M. *Lamm:* Dramer II (4.5.1/12),

428–443. - *N. Neudecker* (4.5.2.2/8), 109 f. - *B. Ohlson:* »Stora lands-vägen: önskningarnas land.« In: MfS 33 (1963), 25–33. - *F. Paul:* Im Grenzbereich der Gattungen. S.'s monodramatische Experimente. In: Akten des V. Internationalen Germanistenkongresses in Cambridge 1975. H. 3. Bern 1976, 384–400, bes. 393 ff. - *Ders.:* S. og mono-dramaet. In: Edda 76 (1976), 283–295, bes. 291 ff. - *Ders.:* S.'s Nach-infernodramatik und das lyrische Drama des Fin de siécle. In: Nordisk litteraturhistorie – en bog til Brøndsted. Odense 1978, S. 263–276. - *G. Vogelweith* (4.5.1/20), 267–284. - *R. Volz* (4.5.1/22) (masch.). - *R. V[olz]:* Stora Landsvägen. In: KLL 6, 1964 f. - *J. L. Zentner* (4.5.1/23).

2.5.5. Historische Dramen (1899–1909)

Gleichzeitig mit den innovatorischen Stücken der Nach-infernodramatik verfaßte Strindberg 15 historische Dramen, die sich nicht nur inhaltlich, sondern auch formal vom drama-tischen Hauptwerk unterscheiden, zumindest auf den ersten Blick. In bewußter Nachfolge Shakespeares und Schillers inten-dierte er eine Erneuerung des schwedischen Geschichtsdramas. Obwohl er dabei an der »für die schwedisch-historischen Dra-men traditionellen Fünfakt-Maschinerie« (G. Ollén) festhielt, unterscheidet sich die stark epische, oft episch-deiktische Form im Grunde doch nicht völlig von den gleichzeitig konzipierten anderen Dramen. Dies gilt auch für die Inhalte, die, oft wenig »historisch«, das Schuld-Sühne-Problem, die eigentliche Nach-infernothematik, variieren und reflektieren. In den *Offenen Briefen ans Intime Theater* (dt. u. d. T. *Dramaturgie*) begrün-dete Strindberg seine Rückkehr zum historischen Drama »nach fünfundzwanzig Jahren« mit der »Aufgabe: Menschen mit großen und kleinen Zügen zu zeichnen [...] das Historische nur Hintergrund sein zu lassen und historische Zeiträume nach den Forderungen des jetzigen Theaters zu verkürzen, um die undramatische Form der Chronik oder der Erzählung zu ver-meiden«.

Die historischen Dramen nach 1899 lassen sich entstehungs-geschichtlich und inhaltlich deutlich in drei Gruppen untertei-len:

1. Ein Zyklus von 8 Dramen zumeist über schwedische Herr-schergestalten (1899–1902).
2. Ein Zyklus von 4 »welthistorischen« Schauspielen (1903).
3. Ein Zyklus von 3 Dramen über schwedische Reichsverweser (1908).

Bereits das erste Stück *Die Folkungersage* (Folkungasagan) (1899) über den schwedischen König Magnus Eriksson und die Wirren des 14. Jh.s zeigt nahezu vollständig die »Ingredienzien« von Strindbergs »historischem« Stil, eine von W. Johnson genau untersuchte Klitterung von naturalistischen, symbolistischen und expressionistischen Verfahrensweisen, bei denen exakt Historisches unmittelbar neben totaler »Verfremdung« stehen kann. Musterbeispiel dieser »Umformungen« ist die Gestalt der hl. Birgitta, in Strindbergs Version eine grotesk wirkende, böse und verrückte Frau, in der die altbekannten misogynen Affekte des Autors reflektiert sind (»suchte sie zuerst ein eigenes Kloster zu bekommen [...], in dem die Männer *unter* den Frauen stehen sollten [...]. Aus diesem unsympathischen Weibe habe ich nach den Urkunden die zügellose Närrin gemacht«.).

Das nächste unmittelbar nach der Folkungersage geschriebene Drama über *Gustav Vasa* (1899) sollte Strindberg zufolge das Mittelstück eines Vasa-Triptychons bilden, eingerahmt von *Meister Olof* (1872) und dem im gleichen Jahr nachfolgenden *Erik XIV*. *Gustav Vasa* gilt, wohl zu Recht, als das Meisterwerk innerhalb der historischen Dramen nach 1899. Es ist »sein volkstümlichstes Drama und eines seiner künstlerisch vollendetsten. Es ist leicht zugänglich ohne banal zu sein, urschwedisch ohne eine Spur von patriotischem keuchendem Pathos« (G. Ollén).

Die zyklische Verbindung zum nächsten Stück wird nicht nur durch die Genealogie und die Sukzession der Könige bestimmt, sondern auch durch die Wahl der Tableaus demonstriert. *Erik XIV.* beginnt am gleichen Schauplatz, an dem *Gustav Vasa* endet. In der Hauptfigur gelingt Strindberg eine fesselnde psychopathologische Studie, die ihm freilich den Vorwurf der Geschichtsfälschung einbrachte. Nicht zuletzt die philiströsen Angriffe auf sein (freilich angreifbares) subjektives Geschichtsbild veranlaßten Strindberg zu umfangreichen Studien für sein nächstes historisches Stück über *Gustav Adolf* (1900). Das Ergebnis ist ein riesiges »Wanderungsdrama« (Gustav Adolfs Kriegszüge in Deutschland als »Stationen«), in dem die kaum überschaubare Fülle von ca. 60 Haupt- und Nebenpersonen, Haupt- und Nebenhandlungen die Grundidee der religiösen Toleranz (»Mein Nathan der Weise«) mehr verdeckt als erhellt.

Strindberg unterbrach nach diesem Stück die Arbeiten an historischen Dramen für etwa ein Jahr und setzte den Zyklus im Sommer 1901 mit einem Stück über den schwedischen

Nationalhelden *Carl XII* (1901) fort, den er im Gegensatz zur communis opinio für »Schwedens Verderber, den großen Verbrecher« hielt und entsprechend in seinem handlungsarmen, stark psychologisierenden Stück darstellt, das sich stilistisch von den vorhergehenden historischen Dramen stark unterscheidet, und nicht zuletzt durch seine musikalische Grundstruktur (W. Johnson) in die Nähe der anderen Nachinfernostücke gerückt wird.

Das nächste historische Drama über den Freiheitshelden *Engelbrekt* (1901) gilt als »merkwürdig uninspiriert« (G. Ollén). W. Johnson hat mit guten Argumenten diese Ansicht zu widerlegen versucht. Das Stück sei »impressionistisch« und »nur für die, die darauf bestehen, daß ein historisches Schauspiel sich auf das beschränken muß, was der Kanon von Realismus und Naturalismus billigt, können diese theatralischen Elemente störend sein«.

Mit der Elle des konventionellen historischen Schauspiels gemessen, konnte auch das Drama über Königin *Kristina* (1901) nicht bestehen. Strindberg gelang indes mit diesem Stück ein zwar unhistorisches, aber höchst inspiriertes Pamphlet, wobei er in der Titelfigur seine dritte Frau Harriet Bosse nicht nur porträtierte, sondern ihr zugleich eine äußerste Virtuosität verlangende Paraderolle auf den Leib schrieb, die sie freilich erst viele Jahre später verkörpern durfte.

Der Zyklus schwedischer Königsdramen wurde schließlich mit einem Stück über *Gustav III* (1902), eine Schauspieler- und Künstlerfigur, abgeschlossen, das die Vorgeschichte zu jenem bekanntesten Attentat der schwedischen Geschichte (Vorwurf für die Urfassung von Verdis »*Ein Maskenball*«) bildet.

Strindbergs nächster historischer Zyklus von 1903 sollte nicht mehr der nationalen Geschichte, sondern der Welthistorie gelten. Bereits 1884 hatte er Pläne für ein Festspiel in drei Tagen verfolgt, das die ganze Weltgeschichte von der Antike bis zur Französischen Revolution darstellen sollte. 1903 griff Strindberg die Idee wieder auf; ein bereits Anfang des Jahres abgeschlossenes Lutherdrama mit dem ironischen Titel *Die Nachtigall von Wittenberg* (Näktergalen i Wittenberg) sollte dabei in den Zyklus integriert werden, der mit kurzen Stücken über Moses (*Durch Wüsten ins gelobte Land;* Genom öknar till arvland), Sokrates *(Hellas)* und Christus (*Das Lamm und die Bestie;* Lammet och vilddjuret) eingeleitet, aber nie zu Ende geführt wurde. Strindberg muß das Scheitern der monumentalen Pläne erkannt haben. Die Stücke wurden daher mit Ausnahme des Lutherdramas (»mein bestes, schönstes und vielleicht letztes Drama« Br. v. 17. 5. 1904 an H. Geber) erst postum veröffentlicht.

Der letzte Zyklus historischer Dramen von 1908, beginnend mit der Auftragsarbeit *Der letzte Ritter* (Siste riddaren) über den Reichsverweser Sten Sture, greift auf das Themen- und Formenarsenal des ersten Zyklus zurück, ohne jedoch die dramatische Kraft früherer Arbeiten zu erreichen. Interessant ist hingegen die Wiederaufnahme der Spiegeltechnik aus *Nach Damaskus I*: In dem nachfolgenden Stück *Der Reichsverweser* (dt. auch *Der Befreier*) (Riksföreståndaren) verwendet Strindberg »die gleiche Szenerie wie im *Letzten Ritter,* aber in umgekehrter Reihenfolge«, eine »von der Musik entlehnte kontrapunktische Form«.

Das letzte historische Drama über den alternden Jarl Birger *Der Bjälbo-Jarl* (dt. auch *Der Jarl*) (Bjälbo-Jarlen) (1908) zeigt noch einmal Strindbergs Verfahrensweise. »Im historischen Drama soll das rein Menschliche das Hauptinteresse besitzen, die Geschichte nur Hintergrund sein«, schrieb er in den *Offenen Briefen ans Intime Theater* über das Werk. Die Hauptgestalten habe er »lebendig« gemacht, indem er »Blut und Nerven« aus seinem »eigenen Leben« nahm. Walter Scott und Shakespeare werden noch einmal als Vorbilder genannt. Des »feierlich Rhetorischen auf der Bühne« überdrüssig habe er sich auf Charakterentwicklung geworfen. Das Ende einer längst überständig gewordenen Gattung kündigt sich an: Strindberg hantiert in diesem letzten historischen Stück souverän und distanziert mit seinen Figuren, »schafft dadurch aber auch Abstand zwischen seinen Dramengestalten und dem Publikum« (G. Ollén).

Ausgaben:

Sth. 1899 (getr. Ausg.); Ss 31 (Folkungasaga; Gustav Vasa; Erik XIV).
Sth. 1900; Ss 32 (Gustav Adolf).
Sth. 1901; Ss 35 (Engelbrekt; Carl XII).
Sth. 1903; Ss 39 (Näktergalen i Wittenberg; Kristina; Gustav III).
Samlade otrycka skrifter I (1.1/3) (Genom öknar till arvland; Hellas; Lammet och vilddjuret).
Sth. 1908/09; Ss 49 (Siste riddaren; Riksföreståndaren; Bjälbo-Jarlen).

Ü:

I/12; I/13; I/14; I/15; VII/1 (siehe Verz. S. X u. XII).

Literatur:

J. Bulman: S. and Shakespeare: Shakespeare's Influence on S.'s Historical Drama. London 1933, S. 122 ff. - *W. Johnson:* S. and the Historical Drama. Seattle 1963, S. 73 ff. - *W. Johnson:* »S.'s Gustav Adolf and Lessing.« In: SS 28 (1956), 1–8. - *W. Johnson:* »›Gustav Adolf‹ Revised.« In: Scandinavian Studies. Presented to H. G. Leach. Seattle 1965, 236–246. - *A. Jolivet* (4.5.1/10), 336 ff. - *J. Landquist:* »S. och hans härskargestalter.« In: (4.1/2), 175–181. - *KLL:* Gustaf Adolf und Gustav Vasa. In: KLL 3, 1303 f., 1304 f. - *M. Lamm:* Dramer II (4.5.1/12), 99–183, 279–307, 341–355, 412–421. - *H. Lunin* (4.5.1/13), 94–180 (über Gustav Adolf). - *B. M[eyer]-D[ettum]:* Folkungasagan. In: KLL 3, 103 f. - *G. Ollén* (4.5.1/15), schwed. Ausg., 136–159, 191–196, 202–210, 224–229, 234–241, 271–281. - *C. v. Schimmelpfennig:* »S.'s schwedische Königsdramen.« In: Nord und Süd 114 (1905), 245–258. - *B. Steene:* »Shakespearean Elements in Historical Plays of S.« In: Comparative Literature 11 (1959), 209 bis 220. Auch in: (4.1/5), 125–136. - *G. Stockenström:* »Kring tillkomsten av Karl XII.« In MfS 45 (1970), 20–43. - *G. Stockenström:* »S. och historiens Karl XII.« In: MfS 47–48 (1971), 15–36. - *G. Vogelweith* (4.5.1/20), 149–195, 215–222 (über Folkungersage, Gustav Vasa, Erik XIV, Carl XII).

3. Erzählprosa und Essayistik

3.1. Das rote Zimmer (Röda rummet) (1879)

Der Ende 1879 erschienene Roman *Das rote Zimmer* (Röda rummet) mit dem Untertitel: Schilderungen aus dem Leben der Künstler und Schriftsteller, markiert nicht nur eine gewaltige Zäsur in der Geschichte der schwedischen Prosaliteratur (»Schwedens erster moderner Roman«), sondern auch den eigentlichen Anfang von Strindbergs zahlreichen bedeutenden Romanen und Erzählsammlungen, die zu Unrecht oft durch die dramatischen Werke verdeckt werden.

Geschult durch journalistische Tätigkeit Anfang der siebziger Jahre und durch novellistische Vorstudien wie die Skizzensammlung *Från Fjärdingen och Svartbäcken* (1877), entwickelte Strindberg in diesem Romen erstmals eine hochartifizielle Prosa, die in ihren vorimpressionistischen beschreibenden Partien (berühmtestes Beispiel: der Romanbeginn »Stockholm aus der Vogelperspektive«) ebenso stilbildend wirkte wie in der völlig neuartigen Nachbildung umgangssprachlicher Syntax und einer teils traditionellen, teils neuen »Bildersprache« (K.-Å. Kärnell). Als Gesellschaftsroman markiert das Werk die Anfänge des Naturalismus in Schweden, und in den ersten lebhaften und kontroversen Reaktionen wurde auch auf die Nähe zu Zola verwiesen; tatsächlich aber dominiert vor allem im ersten Teil »die Karikatur der Gesellschaftsschilderung« (Smedmark). Die dem Naturalismus fremden pikaresken, satirischen, grotesken und humoristischen Stilzüge sind u. a. auf Dickens (G. Lindblad), zeitgenössische amerikanische Humoristen, aber auch auf alte Traditionen (G. Printz-Påhlson) zurückzuführen. Ferner wurden Einflüsse von Daudet, Flaubert, Turgenjev, Jacobsen, Ibsen und Kielland vermutet und teilweise nachgewiesen. Der Roman – aus der Perspektive des allwissenden Erzählers geschrieben – ist aus 29 nur lose miteinander verknüpften »szenischen« Kapiteln komponiert, denen später ein Epilog hinzugefügt wurde. Die oft satirischen Kapitelüberschriften wie »Jesu Nachfolger«, »Armes Vaterland«, »Nihilismus«, »Vom Kirchhof zur Kneipe«, verweisen programmatisch auf die gesellschaftskritischen Absichten des Autors, die in deutlichem Zusammenhang mit zeitgenössischen anarchistischen Tendenzen (Pariser Kommune, russischer Nihilismus) stehen (S.-G. Edqvist). Die äußerlich »lose« Komposition wird freilich durch ein »Netzwerk von Beziehungen« (E.

Lagerroth), u. a. ein durchgehendes Symbolgefüge zusammengehalten.

Das Figurenarsenal besteht vorwiegend aus Künstlern, Literaten, Journalisten, einer schwedischen »Boheme«, die sich im titelgebenden »Roten Zimmer« des berühmten Stockholmer Restaurants Berns trifft und in ihrem Alltag mit satirisch geschilderten Vertretern von Geschäftswelt, Journalistik, Beamtentum und Kirche konfrontiert wird. In der präzisen Schilderung der armseligen Lebensverhältnisse der Arbeiter und Künstler nähert sich das Werk dem Kollektivroman, aus dem nur einige durchindividualisierte Figuren hervorragen und zugleich den roten Faden für die nicht völlig durchkomponierte »Handlung« verkörpern: Die Hauptfigur, der Assessor und Schriftsteller Arvid Falk, deutlich ein Selbstporträt Strindbergs, wird durch die Umwelt und den Einfluß des zynischen Mediziners Borg gründlich von seinem Idealismus geheilt und, in der Nachfolge des »Bildungsromans«, am Ende in die Gesellschaft integriert (E. O. Johannesson). Ihm dialektisch zugeordnet ist der Philosoph Olle Montanus, ein genialer Autodidakt, dessen ätzende Kritik an Schweden ihn als Sprachrohr Strindbergs ausweist und der, als Vertreter einer »besseren« Welt, sich am Ende das Leben nimmt.

Das Werk wurde nicht zu Unrecht auch als Schlüsselroman rezipiert, zumal Strindberg offensichtlich darin »Material aus seiner Tätigkeit als Berufsjournalist 1873–74« (C. R. Smedmark) verwendet hat. Jedoch »wurden Proportionen und Beleuchtung geändert. Überall spürt man die arrangierende Hand« (C. R. Smedmark).

Strindberg schrieb Jahrzehnte später mit dem Roman *Die gotischen Zimmer* (Götiska rummen) (1904) (vgl. S. 115) eine Art Fortsetzung seines Romanerstlings, in der das weitere Schicksal des Zynikers Borg beschrieben wird.

Ausgaben:

EA Röda rummet. Skildringar ur artist- och författarlifvet. Sth. 1879. Ss 5.

Ü:

II/1.

Literatur:

S. *Ahlström:* Balzac och Röda rummet. In: SLT 17 (1954), 175–79. - W. A. *Berendsohn:* Inledningen till Röda rummet. In: (4.1/6), 96 bis 110. Auch in Berendsohn: Strindbergsproblem (4.2/1). - *S.-G. Edqvist* (4.3.2/11), 135–151. - *E. O. Johannesson* (4.6/5), 25–45. - *K. Ä. Kärnell* (4.6/6), 191 ff. - *E. u.U.-B. Lagerroth* (Hg.): Perspektiv på Röda rummet. Dokument och studier. Sth. 1971 (mit Beiträgen von G. Lindblad, C. R. Smedmark, O. Holmberg, S.-G. Edqvist, K.-Ä. Kärnell, G. Printz-Påhlson, O. Lagercrantz, E. Lagerroth, E. Johannesson). - *G. Lindblad* (4.6/7), 69–145. - *F. Pa[ul]:* Röda rummet. In: KLL 6, 383–386. - *E. Poulenard* 4.6/8), 107–166. - *C. R. Smedmark:* Mäster Olof och Röda rummet. Sth. 1952, 131 ff. - *S. Swahn:* Perspektiv och illusion i S.'s »Röda rummet«. In: Edda 70 (1970), 321–35. - *A. Werin:* Karaktärer i »Röda rummet«. In: (4.1/2), 78–93.

3.2. Novellistik 1882–85

Stilistisch geschult durch den Roman *Das rote Zimmer* (1879) und angeregt durch das große kulturhistorische Werk *Das schwedische Volk* (Svenska folket) (1880–82), wandte sich Strindberg in seinen ersten bedeutenden novellistischen Versuchen, dem Zyklus *Schwedische Schicksale und Abenteuer* (Svenska öden och äventyr) (Erste Folge: 1882–83. Drei weitere Folgen: 1890, 1891, 1900), dem historischen Genre zu, wobei freilich – ähnlich wie in *Meister Olof* – unter dem Deckmantel der Geschichte zeitgenössische Probleme vornehmlich des gesellschaftskritischen Utopismus oft mit bewußten Anachronismen behandelt werden. Die Gegensätze von »Heim und Meer« stehen, wie G. Lindblad nachgewiesen hat, in dieser Sammlung durchgehend symbolisch für Bürgerlichkeit und Anarchie; dies wird besonders in der 1883 geschriebenen, aber erst in Folge II (Bd. III) aufgenommenen romanartigen Novelle *Die Insel der Seligen* (De lycksaliges ö) deutlich, in der wie in einem Brennspiegel Strindbergs rousseauistisch-anarchistische Kulturkritik eingefangen wird.

Nicht zufällig entstand kurz danach im schweizerischen »Exil« der Zyklus *Heiraten* (Giftas) (Zwei Folgen 1884–1886), der wegen des damit verbundenen Gotteslästerungsprozesses (vgl. S. 8) den Dichter schlagartig ins öffentliche Bewußtsein rückte und ihm in Schweden und Deutschland für lange Zeit das Epitheton »Skandalautor« sicherte. Dabei war die inkriminierte Novelle *Lohn der Tugend* (Dygdens lön) (dt. u. d. T. *Asra*) nicht einmal typisch für die Sammlung von »Ehegeschichten«, die als Ganzes ein gesellschaftskritischer Beitrag zur Diskussion der Frauenfrage in Beziehung zur Ehe, angeregt vor allem durch Henrik Ibsens Drama *Ein Puppenheim* (Nora)

(Ett dukkehjem), sein wollte (W. A. Berendsohn). Ibsen wird in der Erzählung *Ein Puppenheim* (Ett dockhem) sogar humoristisch-parodistisch paraphrasiert. Eine antifeministische Haltung läßt sich, zumindest aus *Heiraten I*, nicht herauslesen, auch wenn Strindberg aus der Sicht seines rousseauistischen Naturidealismus die »unnatürlichen« Forderungen der modernen Gesellschaft, so etwa die erwerbstätige Frau, in seinen »Fallstudien« (Novellen) kritisiert. Erst die Sammlung *Heiraten II* läßt das zeitgenössische Schlagwort von Strindbergs Antifeminismus, das heute zum Klischee erstarrt ist, in Ansätzen verständlich werden. Aber auch hier wendet er sich nur gegen die intellektuelle, überkultivierte Frau aus der Oberschicht, die ihre Naturpflichten als Gattin, Mutter, Hausfrau usw. vernachlässigt. Neben der Frauenfrage behandelt Strindberg vorurteilsfrei sehr modern anmutende Probleme der Sexualethik, z. B. in der Erzählung *Die verbrecherische Natur* (Den brottsliga naturen) die männliche Homosexualität als »Ausbrüche der sich rächenden Natur«. Gerade diese Erzählung zeigt auch Strindbergs Bemühen, für die »wissenschaftlichen« Fallstudien, die auch auf die gesellschaftskritischen Aufsätze in *Gleiches und Ungleiches* (Likt och olikt) (1884) verweisen, eine formale novellistische Entsprechung zu finden: Dies führt zur Rahmenerzählung, in der oft anekdotisch anmutende Fälle zur Beweisführung einer These vorgetragen werden. Voltaire und Rousseau sind dabei die beiden Väter einer solchen bipolaren Aufklärung.

In dieses geistige Spannungsfeld gehören auch die vier großen Erzählungen der Sammlung *Utopien in der Wirklichkeit* (Utopier i verkligheten) (dt. Ü.: *Schweizer Novellen*), die, vor dem Prozeß um *Heiraten* geschrieben, erst 1885 publiziert wurden. Die zuerst geschriebene und schon zuvor separat veröffentlichte vierte Erzählung *Gewissensqualen* (Samvetskval) zählt zu Strindbergs besten und – nicht zuletzt wegen ihrer pazifistischen Tendenz – meistgelesenen Prosaarbeiten. Die Persönlichkeitsspaltung des Leutnants von Bleicheroden, der, als Privatmann Humanist, als Soldat auf Befehl ohne Zögern die Exekution Unschuldiger befiehlt, kann als Vorstudie zu den unerreichten Schilderungen psychopathologischer Vorgänge in den autobiographischen Romanen angesehen werden. Nicht zufällig werden als Lektüre der Hauptfigur Hartmanns *Philosophie des Unbewußten* und Schopenhauers *Parerga und Paralipomena* genannt, nicht zufällig spricht der Arzt dem nach längerem Irrenhausaufenthalt endlich Geheilten über Rousseaus *La nouvelle Héloïse:* Strindbergs eigene Lektüre und die ideengeschichtlichen Quellen für seine Entwicklung bis in die neunziger Jahre werden auf diese Weise sinnfällig reflektiert, der Übergang zur 1886 begonnenen »Entwicklungsgeschichte einer Seele« im ersten Band der Autobiographie *Sohn einer Magd* (Tjänstekvinnans son) markiert (vgl. S. 8 f.).

Ausgaben:

1. Svenska öden och äventyr. 4. Bde. Sth. 1882–91. + Nya svenska öden. Sth. 1906; Ss 11–12 + 43 (Hövdingaminnen).
Ü:
III/6 + III/7 (Die Insel der Seligen).

2. Giftas I + II. Sth. + Helsingborg 1884–86; Ss 14.
Ü:
III/1.

3. Utopier i verkligheten. Sth. 1885 (Samvetskval zuvor Sth. 1884). Ss 15.
Ü:
III/2 (Schweizer Novellen).

Literatur:

W. A. *Berendsohn* (4.6/1), 319–73, 520–25, u. a. - U. *Boëthius* (4.3.2/7). - S.-G. *Edqvist* (4.3.2/11), 196–214, 257–265, 275–284. - A. *Häggqvist:* Idylldrag i S.'s ›Giftas‹. In: Edda 40 (1940), 444 ff. - K. Ä. *Kärnell* (4.6/6), 206 ff. - F. J. *K[eutler]:* ›Giftas‹. In: KLL 3, 793 f. - G. *Lindblad* (4.6/7), 177 f. (über Svenska öden). - H. *Lindström* (4.3.2/22), 71 ff. - E. *Poulenard* (4.6/8), 167–260. - G. *Schneider:* S.'s ›Heiraten‹. In: Sinn und Form 17 (1965), 694–701.

3.3. Romane und Erzählungen 1887–89

Nach den schriftstellerischen und autopsychologischen Erfahrungen mit den ersten Teilen des autobiographischen »Romans« *Sohn einer Magd* (Tjänstekvinnans son), wandte sich Strindberg 1887 wieder rein fiktionalen Prosawerken zu.

Den Übergang markieren eine Reihe kleiner Prosaarbeiten vor 1887, die Strindberg für deutsche und österreichische Zeitungen schrieb, um im deutschsprachigen Raum bekannt zu werden. Diese Arbeiten sollten unter dem Titel *Vivisektionen* (Vivisektioner) gesammelt werden, dies geschah erst postum in Ss 22. Eine zweite französisch geschriebene Serie *Vivisections* von 1894 wurde erst 1958 veröffentlicht.

Der geplante Titel *Visisektionen* signalisiert nicht nur Strindbergs medizinische und psychologische Ideen (Suggestionspsychologie usw.) in den späten achtziger Jahren (vgl. S. 32), sondern auch den Übergang von (pseudo-)wissenschaftlicher Essayistik zu fiktionaler Kleinprosa. Bemerkenswert sind besonders die Erzählungen *Kampf der Gehirne* (Hjärnornas kamp) und der Essay *Seelenmord* (Själamord), in denen Strindberg u. a. am Beispiel von Ibsens »Rosmersholm« seine Theorien über die psychologische Beeinflußbarkeit des Menschen (u. a. durch Hypnose und Hysterie) ausführt. Sie werden ein Jahr später in der Schlußsequenz von *Fräulein Julie* ins Dramatische umgesetzt. Als Vorstudie zum Thema Hysterie kann der kleine, nur deutsch veröffentlichte Roman *Schleichwege* (Genvägar) (1887) gelten, den Strindberg 1890 unter dem neuen Titel *Eine Hexe* (En häxa) in das historische Milieu des 17. Jh.s verlegte. In beiden Fassungen unterliegt die Hauptfigur aus Geltungsdrang ihrer Selbstsuggestion: Als spiritistisches Medium in der modernen, als »Hexe« in der historisierenden Fassung. Kaum hatte Strindberg diese düsteren Seelengemälde abgeschlossen, wandte er sich einem »Intermezzo scherzando« zu und schrieb in Bayern sein vielleicht volkstümlichstes und schwedischstes Prosawerk, den um 1870 spielenden »Schärenroman« *Die Leute auf Hemsö* (Hemsöborna) (deutsch auch: *Die Inselbauern*) (1887).

Strindbergs sonst oft nur sarkastischer Humor gewinnt in diesem Werk neue Dimensionen, die vom Versöhnlich-Humanen bis zum Grotesken reichen, ohne daß der naturalistische Anspruch einer exakten Schilderung von Charakteren, Milieu und Landschaft aufgegeben wird. Um die vier Hauptfiguren, die Witwe Flod, ihren Sohn Gustav, den Verwalter Carlsson und den Pastor, gruppiert Strindberg die Bauern und das Gesinde der Insel Hemsö, und als Kontrastfiguren Sommergäste aus dem nahen Stockholm. Der durchaus ernste Hauptkonflikt zwischen dem Verwalter, der die Witwe heiratet, und dem zunächst um sein Erbe gebrachten Sohn, wird durch große volkstümlich-humoristische Passagen (etwa die berühmte Hochzeitsschilderung mit der Episode des betrunkenen Pastors) aufgehellt und am Ende – trotz der tragischen Dimensionierung: der Verwalter kommt im Eise um, der »Stärkere« siegt sozialdarwinistischen Gesetzen gemäß – ins Groteske gerückt, wenn der Sarg mit der Leiche der Witwe Flod infolge der tragischen Ereignisse auf dem Eis abhanden gekommen ist und der Pastor, »um das klägliche Ende einigermaßen abzuwenden«, für diese eine Notbeerdigung auf offener See abhält.

Strindberg hat selbst auf Jeremias Gotthelfs Romane als stilistische Vorbilder verwiesen; der Autor steht jedoch gleichzeitig in der Tradition der stockholmschen Schärennovellistik (M. Lamm), die er 1888 mit der Erzählsammlung *Das Leben der Schärenleute* (Skärkarlsliv) (deutsch in der Sammlung »Das Inselmeer«) ausweitete und fortsetzte. Hatte der Roman *Die Leute auf Hemsö*, Strindbergs eigenen Aussagen zufolge, noch das »Lichte« im Leben der Schärenleute geschildert, so wollte er nun die »Halbschatten« behandeln. Genau dieser Intention folgend enthält die Sammlung daher auch neben einigen Humoresken u. a. den psychologisch ausgefeilten kleinen Roman *Der romantische Küster auf Rånö* (Den romantiske klockaren på Rånö), in dem er tiefenpsychologische Probleme des »Verdrängens« vorwegnimmt. Die psychischen Probleme und Obsessionen des Organisten und »romantischen Künstlers« Alrik Lundstedt werden aus der Rückblende am Ende des Romans als verdrängte Kindheitserlebnisse (Chaotische Familienverhältnisse, Ermordung der Mutter, Fehlen jeglicher Zuwendung) sowohl im Sinne der naturalistischen Milieutheorie wie modernen Tiefenpsychologie erklärt. Die glückliche Lösung ergibt sich – ganz im Sinne Freuds – durch eine Analyse anläßlich eines Gesprächs mit einem Geistlichen, der dem Küster die Schuldgefühle suspendiert.

Das Nebeneinander von Fiktionalem und wissenschaftlicher Beschreibung, ja ihre gegenseitige Überlagerung und Ergänzung, brachte nicht nur das autobiographische Werk *Beichte eines Toren* (Le plaidoyer d'un fou) (vgl. S. 7), sondern auch den reportageartigen Bericht *Unter französischen Bauern* (Bland franska bönder) (1889) und die zwischen Mystik und Naturwissenschaft angesiedelten *Blumenmalereien und Tierstücke* (Blomstermålningar och djurstycken) hervor, bis mit dem Roman *Tschandala* (1889) ein erster Abschluß der psychologistischen Phase und zugleich ein Übergang in eine neue, u. a. von Nietzsche beeinflußte Weltanschauung erreicht wurde.

Strindberg war in dieser Phase mit Nietzsche in Briefwechsel getreten und fühlte sich von dessen Übermenschenkonzeption in seinem neuen Aristokratismus bestätigt.

Der »Tschandala«, aus Nietzsches *Götzen-Dämmerung* übernommen, und dort als der »Nicht-Zucht-Mensch«, der »Mischmasch-Mensch«, als der Vertreter der niedersten Kaste beschrieben, tritt bei Strindberg als ein seinen Instinkten ausgelieferter Zigeuner – der Verwalter eines verwahrlosten Gutes – auf, der den »Kampf der Gehirne« gegen den Vertreter der überlegenen Rasse, den Magister Törner verliert. Die zweifelhafte aristokratische Ethik (»Der Paria war tot, und der Arier hatte gesiegt; gesiegt durch sein Wissen und seine geistige Überlegenheit, gesiegt über die niedrige Rasse«), die Strindberg hier vertritt, verdeckt teilweise die hohe sprachliche Qualität, vor allem in den impressionistischen Schilderungen des düster-phantastischen Schauplatzes, des verwahrlosten Gutes, die, wie H. Jacobsen gezeigt hat, auf autobiographische Erlebnisse auf dem dänischen Gut Skovlyst zurückzuführen sind und als Reflexe nicht nur in *Tschandala*, sondern auch in *Fräulein Julie* (vgl. S. 37) wiederkehren. Da Strindberg keinen Verleger in Schweden fand, erschien das Werk 1889 in dänischer Übersetzung und kam erst 1897 (in Rückübersetzung aus dem Dänischen) in Schweden heraus.

Die Übermenschen-Ideologie kennzeichnet auch das letzte Prosawerk dieser Schaffensperiode, den düsteren Schärenroman *Am offenen Meer* (I havsbandet) (1890), in dem nun Strindberg, zyklisch fortschreitend, die Nachtseiten im Leben der Schärenbewohner darstellt. Die Hauptfigur, der naturwissenschaftlich geschulte Fischereiinspektor Axel Borg, ist ein hochintellektueller »Übermensch« und fin de siècle-Dekadent (mit Anspielungen auf Huysmans) zugleich. Als »Gehirnmensch« unterscheidet er sich deutlich vom »Rassenmensch«-Konzept Nietzsches. Im Gegensatz zu Magister Törner in *Tschandala* unterliegt er zum Schluß seinen Gegnern, den wissenschaftsfeindlichen, primitiven Inselbauern, die Strindberg nun ganz anders charakterisiert als in *Die Leute auf Hemsö*, obwohl beide Romane durch das Hauptmotiv (ein Fremder dringt in die geschlossene Inselgesellschaft ein und geht an deren Widerstand zugrunde) verknüpft sind. Das Ende der Hauptfigur in Wahnsinn und Tod kann als Reflex auf Nietzsches geistigen Zusammenbruch 1889 gedeutet werden (W. A. Berendsohn), der Strindberg sehr erschüttert hatte. Die Schilderung der Schärenlandschaft und ihrer Naturerscheinungen gehört zu Strindbergs besten Prosaleistungen, wobei die eigenartige Metaphorik mit zahlreichen Bildern aus der Naturwissenschaft Strindbergs Fähigkeit zum stilistischen Wandel – hier in der Anpassung an die naturwissenschaftliche Denkweise der Hauptfigur – bezeugt. Darin zeichnet sich auch ein Übergang zu den naturwissenschaftlich-naturphilosophischen Werken der neunziger Jahre, etwa dem spekulativ-symbolischen *Antibarbarus* (deutsch 1894) ab.

Ausgaben:

1. Vivisektioner (I): Ss 22; Vivisektioner (II): Hg. T. Eklund. 1958.
Ü:
III/2 u. III/4 (Auswahl). - Kesting-Arpe 66–81 (Auszüge).

2. Genvägar: Ss 54 (Rückübersetzt aus dem Deutschen).
Ü:
Schleichwege. Neue Freie Presse, Wien, Aug.–Sept. 1887.

3. En häxa. Sth. 1890 (in: Svenska öden och äfventyr III); Ss 12.
Ü:
Eine Hexe: III/7.

4. Hemsöborna. Sth. 1887; Ss 21.
Ü:
Die Inselbauern II/2.

5. Skärkarlsliv. Sth. 1888; Ss 21.
Ü:
In: Das Inselmeer III/3 (Zweiter Kreis und Dritter Kreis, 1. Erz.:
»Der romantische Küster«).

6. Bland franska bönder. Sth. 1889; Ss 20.
Ü:
Unter französischen Bauern VI/1.

7. Blomstermålningar och djurstycken. Sth. 1888. Ss 22.
Ü:
In: Naturtrilogie VI/2 (Blumenmalereien und Tierstücke).

8. Tschandala. Kop. 1889 (dän.); Ss 12.
Ü:
III/7.

9. I hafsbandet. Sth. 1890; Ss 24.
Ü:
Am offenen Meer II/3.

Literatur:

W. A. Berendsohn (4.6/1), 86–182 u. a. - Ders.: A. S.'s »I havsbandet«. In: Samlaren N. F. 26 (1945), 101–116. - S. Björck: »I marginal-
len till Hemsöborna.« In: (4.1/6), 111–127. - H. G. Carlson: »Ambi-
guity and archetypes in S.'s Romantic Organist«. In: SS 48 (1976),
256–71. - L. Dahlbäck: S.'s Hemsöborna. En monografi. Norrtälje
1974. - T. Eklund: S.'s »I havsbandet«. In: Edda 29 (1929), 113–44.
- A. Etzler: »Zigenarmotivet i S.'s Tschandala«. In: SLT 25 (1962),
380–84. - E. O. Johannesson (4.6/5), 82–171. - A. Jolivet: »›Hemsöborna‹ et ›Uli der Knecht‹ de Gotthelf«. In: Études Germaniques 3

(1948), 305–08. - *K.-Å. Kärnell* (4.6/6), 211–233. - *F. J. K[eutler]*: »Hemsöborna.« In: KLL 3, 1626–28. - *Ders.*: »I hafsbandet.« In: KLL 3, 2394 f. - *G. Lundberg*: »Fackmässig och konstnärlig exakthet i S.'s Hemsöborna.« In: (4.1/6), 128–141. - *K. Lundmark*: »S.'s ›Hemsöborna‹, dess tillkomst och förhistoria«. In: Edda 41 (1941), 81–112. - *E. Poulenard* (4.6/8), 261–381. - *R. D. P[ross] [= F. J. Keutler]*: »Skärkarlsliv.« In: KLL 6, 1477 f.

3.4. Prosaarbeiten nach 1900

In den drei Jahren von 1898–1901 hatte sich Strindberg nahezu ausschließlich mit Dramatik befaßt (vgl. S. 53 ff.); erst Anfang 1902 wandte er sich wieder den anderen Gattungen zu, nicht zuletzt unter dem deprimierenden Eindruck, daß die Theater seine innovatorischen Dramen nicht spielen wollten.

In den in den folgenden Jahren fertiggestellten Prosaarbeiten konnte Strindberg nicht nur auf die psychischen und existentiellen Erfahrungen der Infernozeit, sondern, auch auf die literarischen Reflexe dieser Erfahrungen in den autobiographischen Werken *Inferno* und *Legenden* (vgl. S. 11) zurückgreifen.

Das erste Werk aus dem Bereich der wiederentdeckten Gattungen, der Sammelband *Heiterbucht und Schmachsund* (Fagervik och Skamsund) (1902), zeigt in seiner Vermischung von Erzählung, Lyrik und Autobiographie deutlich die Intention Strindbergs, die traditionellen Gattungsgrenzen zu verwischen. Neben fünf Prosaarbeiten enthält der Band, dessen Titel auf die gleichlautenden symbolischen Ortsbezeichnungen in *Ein Traumspiel* verweist, die Gedichtsammlung *Wortspiele und Kleinkunst* (Ordalek och småkonst), die im Zusammenhang mit der Lyrik behandelt wird (vgl. S. 122).

Die längste Erzählung »Karantänmästarns andra berättelse« *(Zweite Erzählung des Quarantänemeisters)* ist in ihrer ursprünglichen Form als Rahmenerzählung nie auf Deutsch erschienen, sondern unter dem Titel *Entzweit* von Schering mit Zustimmung Strindbergs in die autobiographischen Schriften aufgenommen worden (vgl. S. 11). Die übrigen Erzählungen, z. B. die *Erste Erzählung des Quarantänemeisters* (bei Schering *Quarantäne*, III/5), sind von Schering eigenmächtig als selbständige Werke in verschiedene Sammlungen aufgeteilt worden. Unter dem Titel *Heiterbucht und Schmachsund* (III/3) blieb nur der Einleitungsteil und die erste Erzählung »En barnsaga« (etwa: *Geschichte eines Kindes)* erhalten; der kompositorische Zusammenhang der Sammlung wurde durch Scherings Eigenmächtigkeit völlig zerstört.

114

Dieser Zusammenhang ist, trotz der losen Verbindung der einzelnen Teile, durch den Antagonismus der »Geographie« von Heiterbucht und Schmachsund gegeben, Orte, deren symbolischer Kontrast bis weit ins Soziale reicht, wie die Skizzen *Die Letzten und die Ersten* (III/5) (De yttersta och de främsta) und *Menschenschicksale* (eigentlich: »Der Zurückgebliebene«) (III/5) (Den kvårlatne) zeigen.

Bevor sich Strindberg 1903 wieder dem großen Roman zuwandte, schrieb er noch das autobiographische Werk *Einsam* (Ensam) (vgl. S. 13) und eine Sammlung *Märchen* (Sagor) (1903), die einerseits in der Nachfolge H. C. Andersens, E. T. A. Hoffmanns und Coleridges sowohl das Kinder- wie das Kunstmärchen erneuern, andererseits die Gattung hin zur Novelle und zur Sage öffnen. Die poetische Qualität Andersens wird freilich nur in wenigen Passagen erreicht.

Erst mit den Romanen *Die gotischen Zimmer* (eigentlich: Die götischen Zimmer) (Götiska rummen) (1904) und *Schwarze Fahnen* (Svarta fanor) (geschr. 1904, gedr. 1907) gelingt Strindberg wieder die volle Beherrschung großer Prosaformen, wobei das zweite Werk dem ersten an dichterischer Kraft deutlich überlegen ist. Strindberg wandte sich mit diesen beiden Werken wieder der Gesellschaftskritik zu; sie hängen nicht zufällig thematisch und in einigen Romanfiguren mit dem ein Vierteljahrhundert zuvor geschriebenen Meisterwerk *Das rote Zimmer* (vgl. S. 105) zusammen. Die »gotischen Zimmer« befinden sich im selben Restaurant wie das rote Zimmer; der zynische Doktor Borg, eine Nebenfigur aus dem ersten Roman, steht nun mit seiner Verwandtschaft im Mittelpunkt der *Gotischen Zimmer*, während er in *Schwarze Fahnen* wiederum als Nebenfigur auftaucht. Das Stockholm der Jahrhundertwende (»Familienschicksale vom Jahrhundertende«) bildet die Folie für eine stark subjektiv geprägte »Abrechnung« Strindbergs mit Zeit und Gesellschaft, eine Abrechnung, die in *Schwarze Fahnen* in Form eines Schlüsselromans bis zur »unbeherrschten Gehässigkeit« (W. A. Berendsohn) gegen deutlich erkennbare Zeitgenossen führt. Obwohl Strindberg auch stilistisch an seinen berühmten Romanerstling anknüpft, verfügt er – vor allem in dem *Gotischen Zimmer* – doch nicht mehr über die sprachlichen und stilistischen Mittel der früheren Periode (dies ist um so verwunderlicher, da er doch kurz zuvor sein poetisches magnum opus *Ein Traumspiel* abgeschlossen hatte). Die satirischen Passagen wirken dürr, die teilweise falsch wiedergegebenen und kulturpessimistisch interpretierten Zahlen aus der schwedischen Statistik aufgesetzt, und die einzelnen Stilebenen wechseln (bewußt?) unvermittelt von Kapitel zu Kapitel bis hin zu einem glänzenden Essay über das Fin de siècle, der das 8. Kapitel ausmacht und völlig losgelöst von der Erzählsituation erscheint. Da Arvid Falk, die Hauptfigur im *Roten Zimmer* geistig »ermordet«, nur noch als schemenhafte Hintergrundfigur durch den Roman spukt, findet Strindberg in der Gestalt des Grafen Max ein neues Sprachrohr für die beiden neuen Romane. Die differenzierte Schilderung seiner psychisch-erotischen Verbindung zur »emanzipierten Mann-Frau« (S. Rinman) Ester Borg ist das einzige voll durchkomponierte Motiv der *Gotischen Zimmer*. Sinnlichkeit und Übersinnlichkeit (in Verbindung mit Strindbergs okkultistischer Assoziationsmystik), Freie Liebe und Geschlechterhaß sind hier einzigartig amalgamiert und finden in der völlig individualisierten Figur der Ester ihren Ausdruck: Sie ist den häßlichen Frauengestalten aus Strindbergs antifeministischem Arsenal ebenso verwandt, wie etwa der Lichtgestalt Eleonora aus *Ostern*, Eingangs- und Schlußkapitel schildern jeweils ein Festessen in den Gotischen Zimmern und dienen der Exponierung bzw. Verabschiedung von Themen und Gestalten. Auch der Roman *Schwarze Fahnen* beginnt mit einem solchen Fest. Der stilistische Unterschied zwischen beiden Romanen wird aber gerade an dieser Szene deutlich: Strindberg schildert hier ein »Gespenstersoupé« (vgl. *Gespenstersonate*) mit verkappten Vampiren und Furien aus der zeitgenössischen Stockholmer Gesellschaft, deren bedrückende Halbrealität deutlich an die surrealistischen Bankettszenen der Nachinfernodramen erinnert.

Wollte Strindberg in den *Gotischen Zimmern* »Familienschicksale« (in der Nachfolge Dickens'?) schildern, so erweitert sich diese Absicht auf »Sittenschilderungen zur Jahrhundertwende« (so der Untertitel), die Strindberg extrem subjektivistisch, aber in relativ einheitlichem Stil vornimmt. Die *Schwarzen Fahnen* sind, in Anspielung auf eine Räuberbande, Strindbergs vermeintliche literarische Widersacher, vor allem der im Mittelpunkt stehende Schriftsteller Klein Zachris, in dem Strindberg – in Anspielung auf E. T. A. Hoffmanns ›Klein Zaches‹ – den ehemaligen Freund und Weggefährten Gustaf af Geijerstam (der noch kurz zuvor als Leiter des Gernandt-Verlages seine großen Nachinfernodramen publiziert hatte!) auf bösartigste und weitgehend ungerechtfertigte Weise karikiert; er soll damit zu dessen Tod beigetragen haben. Trotz dieser bedenklichen moralischen Perspektive gelingt Strindberg in seiner Hauptfigur ein unnachahmliches Porträt des literarischen »Vampirs«, des hemmungslosen Ausbeuters fremder Ideen, des Schwadroneurs auf allen Gesellschaften. Ihm zur Seite gesellt der Autor eine gespenstische Familie, die trunk- und rauschgiftsüchtige Frau mit telepathischen Fähigkeiten, die von ihrem Mann »gemordet« wird, und die völlig herzlosen und unerzogenen Kinder. Mit zu dem abstoßenden und von Intrigen überwucherten Literaturbetrieb gehören u. a. die Suffragette Hanna Paj, hinter der sich die Feministin Ellen Key verbirgt, die mit ihrem Buch »Das Jahrhundert des Kindes« eine Weltberühmtheit war. Nur der an Arvid Falk erinnernde Dichter Falkenström entzieht sich als Sprachrohr Strindbergs zusammen mit dem gescheiterten Buchhändler Kilo den Versuchungen des dekadenten Literaturbetriebs. Beide bilden die Brücke zu einer lichten Gegenwelt, dem vom Grafen Max (aus *Die gotischen Zimmer*) gegründeten konfessionslosen Männerkloster auf einer Stockholmer Schäreninsel. In diesem Kloster, das deutlich an die Schlußpassagen in *Nach Damaskus III* erinnert, wird vor allem über naturphilosophische Mystik meditiert, und es werden spekulative Dialoge vorgetragen, die, am platonischen Dialog zwar orientiert, bereits auf die aphoristische Form der *Blaubücher* verweisen.

An diesen eingeschobenen kontrastiven Klosterkapiteln ist noch deutlich zu erkennen, daß Strindberg zwei ursprünglich selbständige Werke in einen Roman zu integrieren versuchte. Ein Zusammenhang ergibt sich freilich, wenn man die handlungslosen Klosterkapitel als (Strindberg-)Kommentare zu den »Sittenschilderungen« des Haupthandlungsverlaufs betrachtet, dessen ursprünglich geplanter Titel ›Dekadente, verkommene Menschen und Gespenster‹ deutlicher als der später gewählte Titel auf die phantastisch-groteske Grundstimmung des Werkes verweist, das freilich auch in der Nachfolge der großen realistischen Erzähler Dickens, Balzac und Zola zu sehen ist, die im Text ausdrücklich als »literarische Riesen« apostrophiert sind.

Strindberg publizierte das Werk erst 1907, also einige Jahre nach der Abfassung (1904), nachdem er bereits mit den beiden kurzen Romanen *Das Richtfest* (Takslagsöl) und *Der Sündenbock* (Syndabocken) (beide geschr. 1906, publ. 1907) seine, abgesehen vom Romanfragment *Armageddon* (1908), letzten und in mancher Hinsicht modernsten Beiträge zur Fiktionsprosa geliefert hatte.

Vor allem das erste Werk weist mit seiner konsequenten Verwendung des inneren Monologs weit auf moderne Romantechniken der nachfolgenden Dezennien voraus. Motiviert wird der »stream of consciousness« freilich noch »realistisch«. Ein frischoperierter Museumskonservator dämmert zwischen Morphiumrausch und Todeskampf dahin, dazwischen kreisen die Gedanken »in dem fieberkranken Gehirn« um existentielle Probleme seines früheren Lebens, wobei Strindberg die in den Infernobüchern vollausgebildete extreme Assoziationstechnik noch einmal verwendet und dadurch die bizarren Übergänge zwischen den Themen (Fieberphantasien) ermöglicht. Ausgelöst werden die Assoziationen u. a. durch den Bau eines Hauses, den der Kranke im Spiegel beobachtet, und der beim »Richtfest« die Assoziationskette zugleich mit dem Tod der monologisierenden Romanfigur beendet. Eine realistische Rahmenhandlung, nämlich die Betreuung des Kranken durch Arzt und Schwester, zeigt freilich, daß Strindberg die Konsequenzen des modernen Romans noch nicht vollständig ziehen konnte (wollte?).

Auf stilistisch anderer Ebene angesiedelt, bietet *Der Sündenbock* eine letzte Variante des Gesellschaftsromans, freilich durchzogen von Strindberg-Motiven und -Ideen. Mitten im idyllischen Kleinstadtleben siedelt Strindberg mit der Figur des Rechtsanwalts Libotz eine Hiobsgestalt von eigenartiger und eindringlicher Prägung an, die als »Sündenbock« Strindbergs Idee des stellvertretenden Leidens und der religiösen Ergebenheit verkörpert. Obwohl dieser »Dulder« am Ende als »Ausgestoßener« die Stadt verlassen muß, geht er mit Zukunftsperspektiven und ohne Haß, ein Beispiel für die zeitweilige Auflockerung von Strindbergs abgrundtiefem Pessimismus.

Ein paar Monate nach dem Roman *Schwarze Fahnen* erschien *Ein Blaubuch* (En blå bok) (1907) als »Kommentar« zu diesem in der Presse heftig befeindeten Roman. Diese »Zweckbestimmung« hatte Strindberg dem Werk – »einem der eigenartigsten und fesselndsten der Weltliteratur« (G. Brandell) – erst kurz vor der Drucklegung gegeben. Geplant war ursprünglich ein »breviarium universale« in Goetheschem Sinn; in der vorliegenden Gestalt ist das keiner Gattung zuzuordnende Werk eine Sammlung von »religiösen Betrachtungen, psychologischen Situationsbildern, Anekdoten, Erinnerungen, sprach- und naturphilosophischen Grübeleien in einer scheinbar freien und absonderlichen Abfolge, jedoch gleichwohl rhythmisch geregelt durch kompositorische Prinzipien« (S. Rinman).

Formal überwiegen direkt an die Klosterszenen in *Schwarze Fahnen* anknüpfende Dialoge, die in ihrer Scheindialogizität auf die verkappt monologische Grundstruktur des letzten Dramas *Die große Landstraße* (Stora landsvägen) vgl. S. 97) vorausweisen. Sowohl das erste Blaubuch wie die drei folgenden (II + III, 1908; IV postum, 1912) erweisen sich so als »Werkstatt« des Autors, die zahlreiche Dichtungen aus allen Gattungen in einem gleichsam vorpoetischen, noch der Form entbehrenden Zustand zeigen, und gerade in dieser Hinsicht noch zu wenig untersucht sind.

Zeigen die Blaubücher den introvertierten, spekulativen Strindberg der Nachinfernozeit, so greifen die letzten Prosaarbeiten, Artikel, Pamphlete wieder in die öffentliche Diskussion über Grundfragen der Nation ein. In einer Artikelreihe in radikalen und sozialdemokratischen Zeitungen im ersten Halbjahr 1910, die bald darauf unter den Titeln *Reden an die schwedische Nation* (Tal till svenska nationen), *Der Volksstaat* (Folkstaten) und *Religiöse Renaissance* (Religiös renässans) veröffentlicht wurden, rief er mit unkonventionellen Anschauungen über Literatur, Politik und Religion die ausufernde sogenannte »Strindbergfehde« hervor, die nicht nur großes Aufsehen erregte, sondern auch die angegriffenen »Konkurrenten«, nicht zuletzt Verner von Heidenstam und Sven Hedin, auf den Plan riefen. Noch kurz vor seinem Tode erneuerte Strindberg seine Polemik in einigen Zeitungsartikeln, die »wunderlich weltfremd« (M. Lamm) unter dem Titel *Kurier des Zaren oder Geheimnisse des Sägenfeilers* (Czarens Kurir eller sågfilarens hemligheter) das letzte zu Lebzeiten Strindbergs gedruckte Werk bildeten.

Ausgaben:

1. Fagervik och Skamsund. Sth. 1902; Ss 37.
Ü:
Heiterbucht und Schmachsund (III/3; nur Einleitung und erste Erzählung); Entzweit (IV/5); Quarantäne (III/5).

2. Sagor. Sth. 1903; Ss 38.
Ü:
Märchen (III/4).

3. Götiska rummen. Släktöden från sekelslutet. Sth. 1904. Ss 40.
Ü:
Die gotischen Zimmer. Familienschicksale vom Jahrhundertende (II/4).

4. Svarta fanor. Sedeskildringar från sekelskiftet. Sth. 1907. Ss 41.
Ü:
Schwarze Fahnen (II/5).

5. Takslagsöl – Syndabocken. Två berättelser. Sth. 1907. Ss 44.
Ü:
Richtfest – Der Sündenbock (III/5).

6. En blå bok. Sth. 1907 (+ Supplement, Sth. 1907). - En ny blå bok.
Sth. 1908. - En blå bok. Afdelning III. Sth. 1908. - En extra blå bok.
Sth. 1912. - Register till en blå bok. Sth. 1912. Ss 46–48.
Ü:
Ein Blaubuch (Teil 1). Ein neues Blaubuch (Teil 2). Ein drittes Blau-
buch (Teil 3–4) (VI/5–7).

7. Tal till svenska nationen. Jönköping 1910. - Folkstaten. Jönköping 1910. - Religiös renässans eller religion mot teologi. Sth.
1910. - Czarens Kurir eller sågfilarens hemligheter. Sth. 1912. - Ss
53. - Als Dokumentation: Strindbergsfejden. 465 debattinlägg och
kommentarer utg. av H. Järv. Förord av J. Landquist. 2 Bde. Udde-
valla 1968.

Literatur:

H. Fa[ust]: En blå bok. In: KLL 1, 1662 f. - E. O. Johannesson
(4.6/5), 227–294 (Die *Gotischen Zimmer* sind nicht behandelt!). -
Ders.: »S.'s ›Takslagsöl‹: An Early Experiment in the Psychological
Novel.« In: SS 35 (1963), 223–266. - *Ders.:* »›Syndabocken‹: S.'s
Last Novel.« In: SS 35 (1963), 1–28. - *K. Ä. Kärnell:* S.'s bildspråk
(4.6/6), 233–41 (über *Schwarze Fahnen). - F. J. K[eutler]:* Götiska
rummen. In: KLL 3, 941 f. - *E. Poulenard* (4.6/8), 397–539. - *B.
Romberg:* »S.'s ›Svarta fanor‹. Ett utkast till en romanmonografi.«
In: SLT 32 (1969), h. 3, 30–45. - *R. V[olz]:* »Svarta fanor.« In:
KLL 6, 2222–24.

4. Lyrik

Im Gegensatz zu den dramatischen und epischen Werken ist Strindbergs Lyrik klar überschaubar. Zwei Produktionsphasen – die erste reicht bis in die achtziger Jahre, die zweite beginnt nach 1900 – sind in drei Gedichtbänden nachvollziehbar, wobei freilich die Publikationsgeschichte einzelner Gedichte kompliziert ist. Hinzu kommen einige Gedichte aus dem Nachlaß. Der »naturalistische« Lyriker Strindberg wird repräsentiert durch die beiden Bände *Gedichte in Vers und Prosa* (Dikter på vers och prosa) (1883) und *Schlafwandlernächte an wachen Tagen* (Sömngångarnätter på vakna dagar) (1884, erweitert 1889/90), der späte »spekulative« Strindberg durch den Zyklus *Wortspiele und Kleinkunst* (Ordalek och småkonst) (1902, erweitert 1905).

Die Gedichtsammlung von 1883 enthält 50 Gedichte aus verschiedenen Perioden, die unter programmatischen Titeln zu Abteilungen zusammengefaßt sind. Die erste und größte Abteilung, geschrieben 1882/83, erweist sich mit dem ironischen Titel *Wundfieber* (Sårfeber) als satirisches Seitenstück zu den polemischen Schriften aus der gleichen Zeit, etwa *Das neue Reich* (Det nya riket) (1882). Die anderen Abteilungen *Hochsommer* (Högsommar), *Stürme* (Stormar) und *Jugend und Ideal* (Ungdom och ideal) enthalten chronologisch rückschreitend bis 1869 Gedichte aus früheren Jahren, die vom Programmatischen bis zum Elegischen und Idyllischen reichen. Inhaltlich am bedeutendsten sind die gesellschaftskritischen Gedichte der ersten Abteilung; ein formaler Modernismus läßt sich dagegen bereits an den früheren Gruppen aufzeigen, wobei die Auflösung der Gattungsgrenzen, etwa in dem Stimmungsbild *Sonnendunst* (Solrök) hin zur lyrischen Prosa (Gedichte in Vers und *Prosa*), im Spätwerk dann zum lyrischen Drama, die Möglichkeiten des Lyrikbegriffs tangiert.

Strindberg kümmert sich wenig um überkommene Versregeln und schafft doch, oder gerade deshalb, besonders in den Gedichten mit freien Rhythmen lyrische Gebilde von allerhöchster Qualität, die freilich, wie alle Lyrik, letztlich unübersetzbar sind. Im programmatischen Gedicht *Landesflucht* (Landsflykt) von 1876 reflektiert ein lyrisches Ich Umwelt- und Natureindrücke aus der Perspektive des heimatlosen Künstlers, wobei die glänzenden Metaphern und der Sprachton in großer Eindringlichkeit harmonieren. Auch die *Schlafwandlernächte* von 1884 sind ein »Gedicht in freien Versen«. Bereits der Titel suggeriert die Traumstimmung des reflektierenden lyrischen Ichs. Die in Knittelversen abgefaßten vier Traumnächte – eine fünfte kam 1889 dazu – sind Traumreisen aus dem Pariser »Exil« in die schwedische Heimat. Evoziert durch den Anblick einer französischen Schlachterei (»ein Herz herausgerissen / das nun am Haken hängt«) bringen die »Nächte« Erinnerungen an die kulturelle Tradition Schwedens (Religion, Kunst, Wissenschaft), mit der der Autor scharf ins Gericht geht.

Nahezu zwanzig Jahre stehen zwischen diesen Gedichten, über die es noch keine größere wissenschaftliche Arbeit gibt, und der letzten Sammlung mit dem bescheidenen Titel *Wortspiele und Kleinkunst*. Nicht nur die weltanschauliche, vor allem religiöse Wandlung, sondern auch die formalen Errungenschaften der Nachinfernodramatik unterscheiden diese Gedichte deutlich von der Lyrik der achtziger Jahre. G. Ollén hat bereits in seiner grundlegenden Monographie über diese Sammlung auf die Tendenz »zum Zusammenfall` von Lyrik und Dramatik« hingewiesen. Nähern sich manche Stücke der Nachinfernodramatik *(Schwanenweiß, Ein Traumspiel, Kammerspiele, Die große Landstraße)* weitgehend dem lyrischen Drama, so wird die Affinität dieser späteren Lyrik zum Dramatischen ebenfalls deutlich. Dies ist besonders evident durch die »Lyrisierung« des Dramenfragments *Der Holländer* (Holländarn) von ca. 1902, das, ursprünglich ein Prosamonolog, im zweiten Gesang des dreiteiligen »Holländerzyklus« in Versform umgewandelt erscheint. Dies zeigt sich auch an dem großen Zyklus *Die Dreifaltigkeitsnacht* (Trefaldighetsnatten), der, ursprünglich als Versdrama geplant, in der vorliegenden Form als Rollengedicht Situationen aus *Heiterbucht* (Fagervik), Strindbergs imaginärem locus amoenus, evoziert (vgl. *Ein Traumspiel* und die Novellensammlung *Heiterbucht und Schmachsund*).

Die Rollensituation ist in Prosa vorgegeben, die Regieanweisungen nahesteht. Die Gedichte sind u. a. dem Zollverwalter, Postmeister, Testamentsnotar in Hexametern in den Mund gelegt und damit in ihrer stilistischen Vielfalt »dramatisch«-rollenmäßig motiviert, wobei nur dem »Dichter« – ebenfalls eine Rolle – so formvollendete Gebilde wie *Chrysaëtos* gelingen. Dieses Gedicht wird optisch und formal von den anderen abgesetzt: durch Frakturdruck (nicht in der deutschen Übersetzung!) und Ersetzung des Hexameters durch freie Rhythmen. Dadurch wird der Zitat- und Erinnerungscharakter (Infernothematik) hervorgehoben. Die von Strindberg intendierte Annäherung von Sprache und Musik, die Übernahme musikalischer Verfahrensweise wird in *Chrysaëtos* ebenso deutlich wie in den anderen Gedichten der Sammlung: Stimmungslyrik zumeist wie *Straßenbilder* (Gatubilder) und *Wolkenbilder* (Molnbilder), mit Ausnahme des Zyklus *Die Stadtreise* (Stadsresan), in dem die Musik selbst, beispielsweise in der Deutung von Bachs Orgelwerken und Beethovens Appassionata im dritten Gesang, thematisch wird.

In den vier letzten, mit *Visor* (Gesänge) überschriebenen Gedichten der Sammlung, ist Sprache schließlich selbst Musik geworden in evozierten Gestalten mit den Namen Semele, Villemo und Hillewi. Die akustische Signalwirkung dieser Experimentallyrik, im Gedicht Villemo das Spiel mit den Vokalen i/u, zeigt nicht nur, wie souverän Strindberg über die sprachlichen Mittel verfügte, sondern wie weit er der oft konventionellen Lyrik der Zeitgenossen voraus war.

Ausgaben:

1. Dikter på vers och prosa. Sth. 1883. Ss 13.
Ü:
V/1, S. 1–98 (Reihenfolge völlig verändert). - Die Stadtreise und andere Gedichte. Ausgewählt und übersetzt von W. A. Berendsohn. Hamburg 1970 (Auswahl).

2. Sömngångarnätter på vakna dagar. Sth. 1884 (Die »erste Nacht« als Fragment bereits in Dikter 1883; später um die »fünfte Nacht« erweitert in Tryckt och Otryckt I. Sth. 1890). Ss 13.
Ü:
V/1, S. 99–157 (›Der Schlafwandler‹).

3. ›Ordalek och småkonst‹ und ›Trefaldighetsnatten‹. In: Fagervik och Skamsund. Sth. 1902. Als selbständiger Gedichtband mit Änderungen und Erweiterungen: ›Ordalek och småkonst.‹ Sth. 1905. Ss 37.
Ü:
V/1, 159–252 (›Die Dreifaltigkeitsnacht‹, ›Wortspiele und Kleinkunst‹. - Ü Berendsohn (siehe 1), S. 69–148 (Auswahl).

Literatur:

T. Brunius: Studier i August Strindbergs ungdomslyrik. In: Samlaren N. F. 31 (1950), 102–09 u. 33 (1952), 107–110. - *G. Fröding:* »S.'s Lyrik.« In: Das neue Magazin 73 (1904), 485–92; schwed.: »Strindbergs lyrik.« In: En bok om Strindberg (4.1/1). - *J. Landquist:* »S.'s lyrik.« In: Bonniers månadshäften, 1912, 409–20. - *G. Ollén* (4.7/1). - *H. Olsson:* »S.'s Sömngångarnätter.« In: Nordisk tidskrift, N. S. 7 (1931), 329–50.

(Namen aus den bibliographischen Angaben, sowie fiktionale Namen, Dramenfiguren usw. sind nicht aufgenommen)

(aufgenommen sind im Haupttext genannte Werke Strindbergs mit Original- und Übersetzungstiteln. Die Alphabetisierung erfolgt ohne Berücksichtigung der Artikel)

129